JN254291

看護学生のための レポート・論文 の書き方

ー正しく学ぼう「書く基本」「文章の組み立て」ー

第7版

著
髙谷 修

How to write reports and papers for nursing students

金芳堂

本書の目的―第7版にあたって

今回の改訂では末尾に看護学生が書いた4,800字の論文を加えた。筆者は1998年から講義の時間に毎回400字のレポートを学生に求めてきた。しかし、スマホが普及した2013年頃から学生は原稿用紙1枚でさえ書けなくなってきた。そこで2017年の改訂では1章にレポートの手本を加えた。このように、本書が論文を書くための良い参考書となるよう改訂している。

文章を書くことは楽しい。その理由は四つある。一つ目に情報を読み手に伝えることができる。二つ目に新しい発見の喜びがある。三つ目に心が癒される。四つ目に出会いの楽しみがある。ところが、筆者が「レポート・論文の書き方」の講義で受け持つ看護学生の2018年の意識調査では、99%が「文章を書くことは嫌い。苦手」と否定的に答えていた。その原因は次の3点である。

1）レポートや論文を書く基本的な法則を知らない。

2）そのために苦手意識やトラウマになっている。

3）「書かされている」意識で書き、提出させられている。

「させられ学習」では、どんなに多くのレポートを書いても文章力は向上しない。自分で目標を作って「する学習」に変えよう。1週間のスケジュール表を作って、優先順位を決め事前学習の時間を確保する。そして、レポートの下書きをする。思考を文章化する作業は学力を高める。「デジタル学習障害」「デジタル依存症」が指摘されている。スマホに頼らず、辞書を引いて漢字を調べよう。漢字辞典で読めない漢字の読みと意味を調べる。看護学辞典のある電子辞書を使って専門用語を調べる。

学生の文章苦手意識の起源は、文章指導の不適切な学校教育にある。調査では、否定的だった学生の多くは「書けるようになりたい」と答えていた。学ぶ意欲を湧き出させて基本的な法則を学ぼう。講義が4回目を過ぎると、読みやすい良い文章のレポートが提出されるようになる。働きながら学ぶ学生は仕事にも役立っていると書いている。

> 「患者の病気の経過や看護依頼書などを簡潔に書かなければならない機会が多かった。ところが仕事中に書いた自分の分が嫌いだった。しかし最近、仕事の中で文を書いている時、授業中に文を書いている時と似たような感覚に襲われることがある。そんな時、自分でも上手いなあと思うぐらい良い文ができ上がっていた。文を書くことを苦に思わなくなってきた」。「講義の終盤になって、変化が現れてきた。これまで多かった看護記録の訂正印がなくなった。また短時間で書けるようになった。同僚の姿を見ていると、ボールペンを持って看護記録をどう書くか悩んでいる人、昼休みを削って書いている人などがいる。文章をスラスラ書けるということはこんなにもすがすがしいことだと嬉しくなった」。「ある患者の看護が一段落した。看護サマリーを書いて師長に持っていった。すると、『わかりやすく簡潔に書かれています』という評価をもらった」。

このテキストのキーワードは「三」である。「患者と問題点」「行なった援助」「患者の結果」と３点で考える。三分節法というユニークな文章構成法を紹介する。三分節法は分析的思考力を高める。「講義を聞く」「課題レポートを書く」「添削を受ける」によって文章力が向上する。

執筆にあたっては、講義で受け持った学生のレポートを使わせていただいた。読者の手本として紹介できる良いものを収録した。

なお、横書きの場合の数字の表記は算用数字（１、２、３…）で、縦書きの場合は漢数字（一、二、三…）で統一するのが原則である。本書では縦書きの文献を引用した場合に漢数字のままにしてある。また、一つ、二つ…の場合も漢数字にした。

2022 年 12 月

髙谷　修

目　次

挿話掲載ページ

1章 レポート・論文を書く基本

文章を書くことは物作りと同じである。まず、国語辞典（電子辞書）と看護用語辞典、原稿用紙と鉛筆と消しゴムなどの道具を用意する。そして、道具を使いこなし、文章を書くことに慣れる。「三分節で書く」「常体文で書く」「一つの文を40字以内で短く書く」。これが文章を書く基本である。これで苦手な人も好きな人も書きやすくなる。看護には体温計・秒針付時計・血圧計・聴診器など道具が必要である。それは看護に科学的根拠を与える。文章も辞書を使用して根拠を与える。

1.「三分節」で書く

1）三分節法

読み手にわかりやすいのは３段構成である。これには、歴史・分析・対比・消去・問題解決の構成がある。500字程度の小論文は、１段や２段では読者が疲れる。４段以上だと何が論点なのかわかりにくい。完全な三分節法では１段の中を三つの文で構成する。

	1文 結論	2文 理由	3文 実例	1文 結論	2文 理由	3文 実例	1文 結論	2文 理由	3文 実例
歴史的構成	過　去			現　在			未　来		
分析的構成	要素１（知性）			要素２（情緒）			要素３（意思）		
対比的構成	事例１（ナイチンゲール）			事例２（ヘンダーソン）			事例３（トラベルビー）		
消去的構成	全ての方法を列挙			条件による消去			方法の選択		
問題解決構成	問　題			仮説・実践			問題の結果		

（心は、知性・情緒・意思の３要素から成っている）

まず、「これから……について三つ述べる」と、概略を書く。すると、読み手は何の話か目途がつく。さらに、各段落の第1文にその段落の結論を書く。話が一つ、二つと進んでいくと「あと一つだ」と話の終わりがわかる。読み手に親切な構成である。

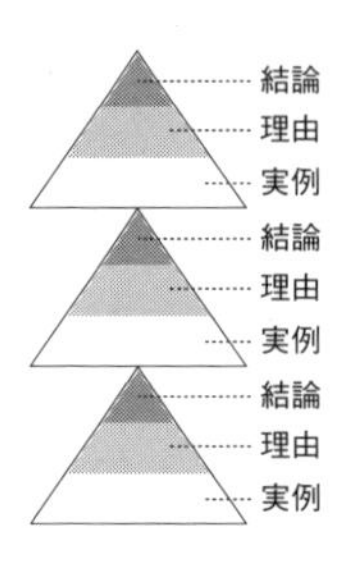

原稿用紙1枚（20行）の場合、1行目に題、2行目に番号と氏名を書く。「大前提・小前提・結論」のように物事は三つで意味を成すから、残りの18行（360字）を3段に分ける。1段の中に意味のある文章を書くためには最低3文を必要とする。こうして、1文を40字以内に収めて書く。第1文に結論、2文にその理由、3文に具体例を書く。1段が4、5文になっても良い。結論は三つある。

緊急報告では「急患です。ケガ人です」と結論から伝える。これを「工事現場で仕事をしていた40歳の男性が……」と起承転結の起から始める人はいない。同様に論文も結論から書き始める。

歴史的構成は過去･現在･未来で書く。例えば、看護記録では「患者が入院前はどうだったか・看護を行なってどうなったか・今後必要な看護」を書く。分析は物事を要素に分ける。対比は違うものを並べる。消去は条件をあげて排除する。看護における問題解決の過程は、「患者の問題や課題を明らかにする。仮説（目標）を立て実践する。結果を測定する。実践を評価する」の4点である。

患者の問題点や課題　　看護師の行なった援助　　患者の結果　　実践の評価

2）「生活の中での3の原則」

扇谷正造が『現代文の書き方』[1]の中で述べている三分節は型に

捕われない自由な構成方法である。生活の中に次のような三分節が生きていると書いている。

三角形。三原色（赤青黄）。三分間スピーチ（1,000字）。ボクシングのワンラウンド三分間。ドッ、コイ、ショのかけ声。体操の一、二、三。ホップ、ステップ、ジャンプ。その昔、かまどで薪を燃やしてご飯を炊いていた頃「はじめポッポ、中パッパ、赤ん坊泣いてもフタ取るな」という諺（ことわざ）が使われた。天・地・人（俳句や短歌の懸賞）。能の序・破・急。正・反・合（弁証法。思考の法則）。

2．文体を常体（じょうたい）文で書く

レポート・論文は基本的には呼び捨てで書かれる。「です。ます」の敬体文を使わない。身内を「父母、祖父母、兄姉、弟妹」と書く。患者に「様」を付けない。書き言葉で患者に使われる敬語は、男性・女性共に「氏」である。患者には実習させてもらったことの敬意を表して「T氏、K児、ちゃん、くん」などとする。「師長からアドバイスを受けた」と呼び捨てで書く。発表の時には敬体文で話す。「レポートを敬体文でしか書いたことがない」という学生は多い。レポートを常体文で書く。

これは単なる形式の問題ではない。敬体文は緊張の足りない思考の症状である。敬語は感情や情緒を伝達する役割がある。敬体文で書く文章は感情に支配される危険性がある。敬語には主観が入り込むスキがある。敬体文で書いた文章は客観性が消え、論理的明晰さが失われる。レポート・論文では心情や感情による表現を避ける。論文では「～～である」か「～～でない」かという論理が評価される。

現在使用されている文体は複数ある。これをうまく使い分けて書く。記録簿である看護記録は常体文で書き、手紙の類（たぐい）である申し送り状は敬体文で丁寧に書く。

1）常体文①「である」。であった。した。言える。考える→論文、

レポート、看護記録。会議（カンファレンス）で使用される看護サマリー。

常体文②「～～だ」。した。だった。のだ。思う。

→体験文、説明文、小説。

2）敬体文①「です。ます」「～～おられた」→手紙、作文、祝い事文。

敬体文②「～～でございます」→政治家、財界人。結婚式など。

3）小学校低学年の会話調表現→～～だよ。～～だからね。

- 「……である」は論文に
- 「……だ」は体験文に
- 「……です」は手紙に使い分ける

3．文体を統一する

レポート・論文は「常体文」で書くのが一般的である。さらに文体を統一するという原則を守る。常体文で書いているレポートの中に、時々「です。ます」と敬体文をはさむものがある。これは、文体を統一するという原則に違反している。敬体文は心情に流されやすい。それらを切り捨てて常体文で書けば良いレポートができる。文章を書く作業には緊張感と集中力が必要である。

文体の統一についてまとめると以下のようになる。

1）常体文で統一する。敬体文を混ぜない。ただし、カッコの中の会話文は「ありがとうございます」と敬体文のまま書く。

2）日本語で統一する。不必要な外国語を混用しない。

例：up した→アップした。ただし、日本語で表現できない外国語はそのまま書く。

3）口語体文（現在使用されている言語）で統一する。文語体文（明治時代の言葉。例:訴えるも。入院にて）を混用しない。ただし、引用文が文語体文の場合はそのまま引用する。

4）謝辞は本文への付け足しである。これは敬体文で書く。1行あける。全体を3～5字下げて書くと本文とは違うことがより明らかになる。

1. 常体文で統一する
2. 日本語で統一する
3. 口語体文で統一する
4. 謝辞は敬体文で書く

○○○○○○○○○○。（本文）

1行あける

5字下げる

謝辞

実習では、受け持たせていただいたA氏、病棟師長様、お世話になりました指導者の方々、教務の先生方に深く感謝申し上げます。

4．執筆（しっぴつ）上の留意点

1）一つの文は40字程度で短めに書く。主語・述語を書く。そして接続詞（そして、ところが）で繋（つな）ぐ。逆接の接続詞（ところが、など）は、文章にメリハリを付ける。

2）厚化粧となる修飾語は少なめにする。名詞を修飾する形容詞、動詞を修飾する副詞を少なくする。例：今までにない大変な重役を図らずも担った。→重役を担った。

3）自分を他者の立場に置いて書き、日記・手紙・手記文調から報告文・論文調に変える。間主観（かんしゅかん）的文にする。論文を書く時には自分のことは、第一人称の「私」でなく、第三人称の「筆者」を使う。自分を著者と書くのは誤りである。筆者のほか、本実習生、本学生なども使うことができる。間主観的とは、書き手の主観と、読み手の主観の間という意味である。

4）誤字のないように辞典で確かめる。自分で正しいと思っていても勘違いの場合がある。「完璧」は「壁」ではない。

5）文字は楷書で書く。簡略文字は使わない

(特に注意:才→歳。関→関。后→後。服→「つくり」は反ではない)

6）レポートも論文も公文書に当たるのでインクで書く。鉛筆で書いたものは下書きに当たる。これは文章の下着姿のようなものである。

7）１文が40字以上の長い文は考え直す。「し、あり、ので、した」という長い文は意味がわかりにくい。「し、した。ので、した」と２文に分割すると、読み手にわかりやすくなる。１文は１主語１述語を基本とする。一つの主語に複数の述語の文は、一つの頭に複数の身体を持った人間が思い浮かぶ。また一つの述語に複数の主語の文は、一つの身体に複数の頭を持った人間を想像する。複数の主語と複数の述語を持った一つの文は、複数の人が合体しているような身体に譬(たと)えることができる。これは大変不幸なことである。

8）レポート・論文と文学では、その性質が異なる。

　レポート・論文は事実を論ずる。架空の話を真実であるかのように書くのは良くない。文字で表現された事柄によって事実を明らかにする。だから、できるだけ曖昧な表現を避ける。看護学では患者の問題解決のための、看護師の明晰な論理が重要である。

　これに対し、文学は心情や情緒が重要である。時には文字によって書き表されていないことでも、想像によって読み取るよう期待される。曖昧でも評価される。さらに虚構(フィクション）が許される。論文を文学的技法で書くことは正しくない。論文は論文の技法で書く。

9)「レポート」の定義・「論文」の定義

　本書では、「レポートは事実を報告するものである」と定義する。幻想・虚構・可能性

は事実ではない。為した行為、話した言葉、作られた作品（身の回りの状態）などは事実である。

社会人のレポートには、実態調査報告、意識調査報告、事件や政治の報道などがある。学生のレポートには、読書、実習、その他がある。実習レポートに「患者の回復に感動した」とか「涙が止まらなかった」と書くと、文学作品になってしまう。だから、事実のレポートには個人の感想は書かない。学生には「個人の考えを述べるレポート」が課される。この場合には、「筆者は……と考える」と、意見や判断を含めた自己開示のレポートを書く。

本書では、「論文は問題を解決（改善）した研究を書いたものである」と定義する。論文には、誰にも研究されていない独創が求められる。独創のレベルは個人レベルと学会レベルに分けられる。多くの人に知られている知識や技術でも、ある個人が知らない問題を研究する。これは、その個人にとって独創である。学生は実習で事例研究に取り組む。患者Ａ氏は世界中に一人しかいない。したがって、Ａ氏の問題を解決（改善）する研究は独創である。

5．原稿用紙を使う約束事を守る

1）書き出しは１字あける。改行した時、次の行も１字あける。

2）句読点［。、］や閉じカッコ［）、」、』］は行頭に打たない。前の行の枠外に打つ。

　授業では、30分で毎回、原稿用紙に書いた。
前に講師が説明した注意点を思い出しながら
、今まで一度も使ったことがない段落を付け
たりもした。授業中には国語辞典（電子辞書
）で、漢字を調べて書いた。

枠外に打つ
ここに打つ
ここに書く

3）文中に使用する短い引用文は一重カッコ「　」でくくる。引用符を付け、出典を明記する。盗作にならないように配慮する。
「「子どもと遊べる者だけが、子どもに何か教えられる」というスタール婦人の言葉には、深い意味がある」[2)]とエレン・ケイが書いている。

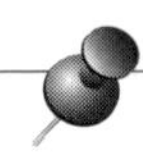

- 書き出しは１字あける
- 句読点やカッコなどの記号は文頭に打たない
- 修正は虫喰いにしない

（註：このように本文中に引用符を「２）」と書く。出典を最後にまとめて「１）、２）、３）……」と引用の一覧表を作る。本書 p.182 ～ 183 参照。）

長い引用は引用文の前後を１行あける。全体を１文字下げて書く。

１行あける

看護とは、対人関係のプロセスであり、それによって専門実務看護婦は病気や苦難の体験を予防したり、あるいはそれに立ち向かうように、そして必要な時にはいつでも、それらの体験の中に意味を見つけ出すように、個人や家族、あるいは地域社会を援助するのである。（トラベルビー『人間対人間の看護』医学書院 p.3 1974）

１文字下げる

１行あける

このようにトラベルビーは書いている。

4）読点は多過ぎず少な過ぎないようにする。

5）ダッシュ（――）、リーダー（……）は２マス使う。

例：――文章における――

6）ローマ字は、原稿用紙のマス目を無視して書く。（例：self help）
大文字は１マスに１字書く場合もある。（例：E・H・エリクソン）
算用数字は１マスに２字入れる。（例：2017 年 1 月 15 日）

7）「　」一重カッコは会話文、引用文、「強調する言葉」などに使う。

ただし、一重カッコの中の最後の句点は省略できる。例：「これは、うまい」。引用文の時は省略しない場合がある。「……である。」

『　』二重カッコは書名を書く時と、一重カッコの中の二重カッコに使う。例：『看護覚え書』。「彼は『……いません』と言った」と覚えている。

8）１段落の長さは120～300字くらいで改行する。全体の文字数、段落の数により、臨機応変に変える。意味のまとまりごとに改行すると読みやすい。

9）レポートの誤字は修正ペンで修正する。その際、原稿用紙の「虫喰い」にしない。必ず、字を書き入れる。公文書の訂正は、二重線を引いて印を押し上部に書き込む。訂正年月日も入れる。

6．文章全体の長さと段落構成

1）段落構成（一分節・二分節・三分節・四分節・五分節・……）

序破急や首胴尾は三分節、漢詩の起承転結は四分節、起承転叙結は五分節である。

2）内容の構成方法[3]（三分節をイメージして）

①両括型（初め・終わりまとめ型）：要点や結論が初めと終わりに分かれている。

②頭括型（先まとめ型）：最初に要点や結論を述べる。その理由やいきさつなどを後から説明する。新聞記事（大見出し・中見出し・小見出し）はこの書き方である。（演繹（えんえき）法的構成）

③尾括型（後まとめ型）：具体的なことやいきさつ、理由などを説明してから、最後に結論を述べる書き方。（帰納法的構成）

④中括型（中まとめ型）：要点や結論を中ほどで述べる書き方。

⑤隠括型（要点がどこにあるかわからない）

この中で読者に最も親切な書き方は、両括型である。

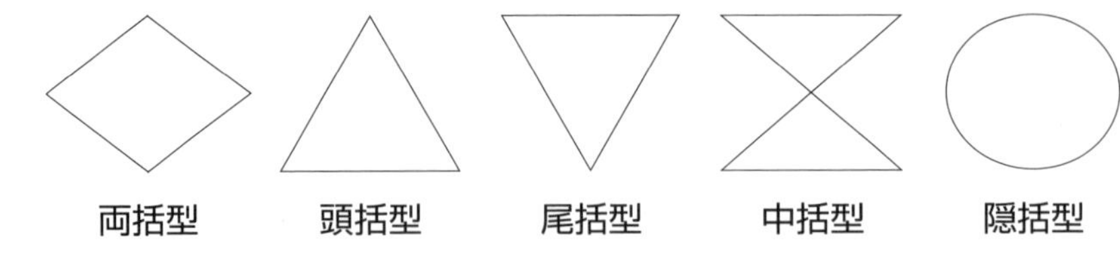

3）論文の構成方法：大きくは序論・本論・結論の三つである。さらにそれぞれを「編・部・章・節・項・1・1）・(1)・i・a」と分ける。

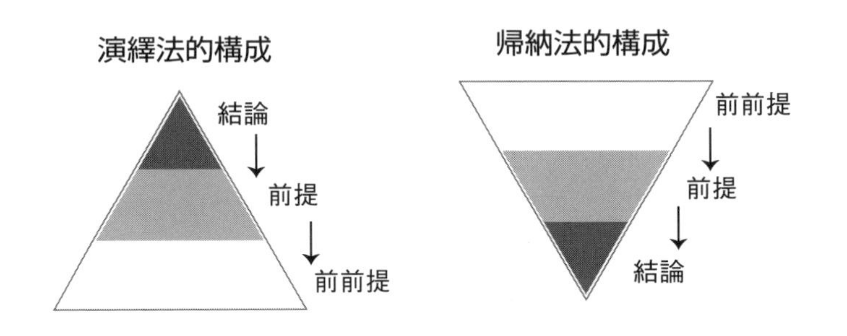

帰納法は、患者に病気の告知を行なう場合や、他者に注意を指摘する時などに用いられる。まず、細かいいきさつから話し始める。これは、心の準備をする時間を置くためである。「五つ教えて三つ褒め、二つ叱って善き人にぞせよ」という諺がある。まず、褒め言葉をいくつか置く。時には、起承転結の「転」のように話題を転がす。「本題に入ってください」と、心の準備ができた頃に「実はね……」と伝える。ところが、体育会系の人はこの逆を好むようだ。

7．作品によって結論の位置を変える

1）文学作品の結論は最後に書く。結末が最初からわかってしまうと面白くない。まず、いきさつや理由を全部述べてから結論に触れる。遊び心で書く作品では「結論はどうなるのだろう」と、読者は気をもまされて面白い。読者に結論はこうなるだろうと思わせておいて、それを逆転させる。読者は思わず笑ってしまう。

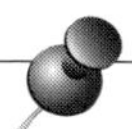

結論の位置は

- 文学では　最後に
- 報告文では　初めに
- レポートでは　初めに

2）報告文では「結論」を初めに書く。緊急報告する時、まず「患者さんが急変しました」と結論を述べる。その後で優先順位に従って必要な事項を述べる。そうでないと報告を受ける側が理解しにくい。それに結論が遅いと聞く側に伝わりにくい。報告を受ける側は、初めに述べられた結論の根拠は何かに集中する。その理由が何かとか、見解の独創性や目新しさなどを評価する。

3）学生のレポートでは、報告課題にどのように答えていくかを初めに約束する。「～～とは何か」を問われた課題ならば、「～～とは何である」と答えて、その根拠を示す。これが序論の部分になる。以下、この約束に沿って本論を展開していく。結論は序論で約束した通りに簡潔に答えを書く。本論に述べたことを繰り返すよりも、権威のある研究者の言葉を引いて、しめくくるのも説得力を増す。読む人は「このレポーターは勉強家だ」と評価できる。

4）論文の基本的な構成は序論·本論·結論である。「ケーススタディ」では、字数は7,000字くらいである。「はじめに」（序論）はおおよそ500字程度（約7％）である。

Memo

「文章は起承転結（結論が最後）でなければならない」ということはない。結論の位置は、論文では冒頭にある方が良いし、告知では最後にある方が良い。物事は、初め—終わりのように対（つい）概念で成り立っているから、書き手は、読み手に対して責任を持ちつつ、文章の構成を自由に考えていいのである。

序論は全体を500字程度で要約する。事例研究は以下の構成で書く。

序論　①全体の要約

本論　②受け持った患者とその生活上の問題点や課題

　　　③問題の改善のために行なった援助

　　　④患者の結果

結論　⑤結論（行なった援助の有効性の評価）

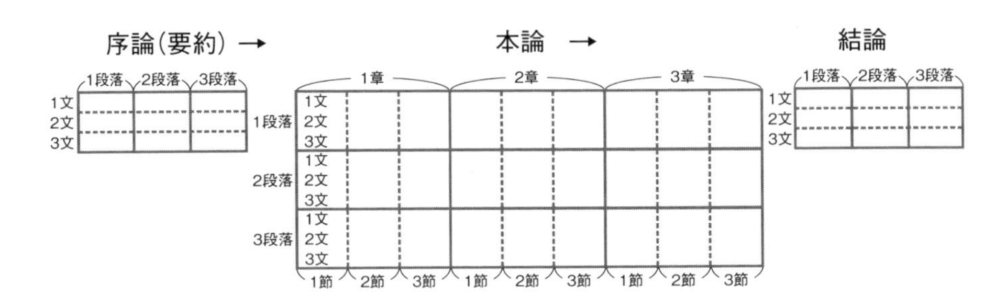

三分節法の基本

　１章を３節で、１節は３段落で、１段落は三つの文で構成する。テーマによって、これを応用して文章構成を行なう。

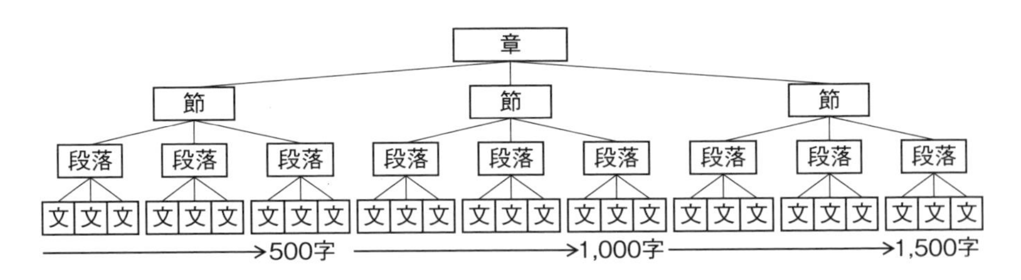

　このように、２章にある「落書き、グループ化、段落の構図」の作業をして、全体の要約を書き始める。そして、章、節、段落、文の順序で全体構成をデザインする。これを箇条書きにして検討する。文章技術は理論と練習で習得される。論文執筆は**登山**に似ている。頂上を目指して小さい目標から練習を始める。この練習が文章力を育てる。

8．例文

　文章を書くことの思い（過去・現在・未来）
2022　高谷　修

　私は文章を書くことが非常に苦手で嫌いだ
った。それは過去ずっと続いてきた。義務教
育の間、文章を書く機会は多かったが、常に
低く評価されてきた。教師からの指導はなく、
注意されるだけだった。このことが続いて、
苦手意識が心に根付いた。
　現在でも、文章への苦手意識は強くて、と
ても苦戦している。看護師という目標が見つ
かったが、文章力の不足を自覚している。ま
た、文章を書く力が必要だと痛感している。
さらに、参考書を読んで書く練習をしておけ
ばよかったのにと後悔もしている。
　この授業が終わるまでの私の大きな目標は
4800字の論文を書けるようになることである。
小さい目標は次の三つである。予習と復習を
行なう。この授業で使う教科書を初めから終
わりまで全部読破する。積極的にレポートや
授業課題で文章を書く練習をする。

20×20

前ページの例文のように、ある限られたスペースに記録する場合は、三段落に分けて本論だけを述べる。しかし、レポートとして記述する場合は次のように、この本論に「前書き（要約）」と「後書き（気付き）」を加える。すると、文字数は、題と氏名で40字（２行）、本論360字（18行）、前書き80字（４行）、後書き80字（４行）で、560字（28行）になる。500字程度と指定された場合、このように、何をどれくらい書くか、バランスの良い全体の設計図を作る。

文章を書くことの思い（過去・現在・未来）

2022　髙谷　修

このレポートでは、まず、過去と現在、私が良い文章を書けなかったことを考察する。そして、未来へ向けて、一つの大きい目標と三つの小さい目標を述べる。（前書き：要約）

……本論を省略（前ページ参照）……

このレポートを書いて、改めて文章の苦手意識を認識した。また、目標の作り方とともに、目標を作ることの大切さに気がついた。こうして計画的に学習を進めたら、学力が向上するに違いない。（後書き：気付き）

次の例文は６章の課題レポートの一つである。

文章を書く思いの変化（途中評価）

2022　髙谷　修

講義が６回まで進んで中盤に差しかかったので、途中評価を行なって、目標への到達度を確かめる。そして、目標と実践（学習方法）の妥当性を評価し、目標の修正について述べる。

私の問題点は文章の書き方がわからないことだった。また、人前で話をするのも苦痛だった。クラスの人たちの前で自分の考えを述べるのが嫌でたまらなかった。「何をどのように」話していいか、頭の中で混乱してしまって、ほかの人に笑われるのではないかと常に恐れている自分がいた。そこで、大きい目標は2,400字のレポートが書けるとした。小さい目標は「落書き、グループ化、段落の構図」の作業を事前学習するとした。

この授業で**自分の考え**を述べるレポートをたくさん書いてきた。事前学習でレポートの下書きをいっぱい書いた。すると、レポートの書き方がわかってきた。同時に、人前での話し方についても心境が変化してきた。一つ思い当たることがある。それは、人前で話をする前に必ず、話す順序と内容についてメモを作成し、それに沿って話すようにしていることである。こうすれば「正確な内容を順序立てて話すことができる」と確信した。

後半の授業では、小さい目標は変えずに、大きい目標を4,800字の論文に変える。テキスト2章の初めに「文章力は教育可能な能力である」とある。話し方も書き方と同じように教育可能な能力と考えられるから、引き続き事前学習をして正確に順序立てた書き方と話し方の能力を向上させたいと考えている。

レポートの書き方がわかってきたら、話し方の問題も改善してきた。小学校以来の苦手意識を多少なりとも克服できた。これは私にとってかなり大きな成果である。

学習の基本的な要素は、「聞く・話す・読む・書く」の四つである。看護師には、患者の話を聞いて理解する能力、援助内容を話して説明する能力、看護記録の意味を読み解く能力、そして、行なった援助内容を記録する能力が必要である。

（本書では「告示」（p.135）が許容としているので「行なった」「行なう」のように「な」を添えてある。「行って行った」「行う」など読み易さに配慮した）

三分節の例文：全体が３段である。各段の中が三つの文で構成されている[4)]。

励ましの言葉も使いよう

高谷　修

一字あける→

私は、病人への励ましの言葉は「無理をしないようにがんばってね」と使うことにしている。すると、励まされる人に、「がんばる」の意味をやわらかく受けとってもらえるようである。励ましの「がんばる」も使い方によっては、心遣いが生きてくる。

枠外に打つ

一字あける→

「この子は生まれなかったものと思ったらいい、と医者から励まされたことがあります」。胆道閉鎖症で４歳の女の子を亡くしたあるお母さんから、こんな話を聞いたことがある。その後しばらくして、「天国へ旅立ってから、早４年になりました。悲しみは時とともに薄れるというのはうそで、わが子への想いはますますつのるばかりです」との記事を読んだ。

枠外に打つ

一字あける→

励ましの言葉は「生まれなかった」ではなく、「私の子どもに生まれてくれたお陰で、病気の子どもや親のつらい気持ちも、悲しみもわかるようになった。私の子どもに生まれ

二枚目（あけずに書く）→

てくれてありがとう」と語りたい。そうしたら「がんばる」という意味の言葉になる。悲しい心の中から、元気が湧いてくると思う。

原稿用紙の使い方の補足

強調するカッコ文は、改行しないで段落の中にまとめる。改行すると、どこが段落の変わり目なのかわかりにくい。これは、文学の書き方である。三分節法という「型」からすると邪道である。

　その結果、もともと文章の書き方を知らな
かった私の文章を書く力は、かなり改善され
た。文章を書くことに自信がなく、嫌だった。
だが、←ツメル
「この講義で勉強したのだから、私でも文章
が書ける」←ツメル
という自信を持つことができた。

文末に、開きカッコ［（］を使わない。原稿用紙の場合は、文字数を調節するか、1マスにカッコと文字を［（こ］のように書く。小さい［っ・ゅ・ゃ］は、［だっ］のように、文末の1マスに書く。カタカナの長音記号［ー］、中点［・］は、文頭に書いてもよい。

練習課題

1．文章を書くことの思い（過去・現在・未来）

（500字以内、常体文、三分節。前書きと後書きを添える。p.13参照）

（　1段目に過去の問題点、2段目に現在の問題点を分析して問題を明らかにする。そして3段目に、未来の大きい目標（到達まで長時間の努力が必要）と小さい目標（短期間の努力で達成可能）を作る。小さい目標を達成していけば大きい目標に到達する。大きい目標例：良い評価のレポートが書けるようになる。劣等感を克服する。小さい目標例：三分節法を習得する。原稿用紙1枚を30分で書く。レポート課題を予習して下書きしてくる。辞典を使って書く。テキストを全部読破する。「私の目標は……である」と結ぶ。キーワード「問題、目標、課題」を文中に使用すること。）

2章 書くまでの３段階と書く意義

１．書くまでの３段階

「落書き」「グループ化」「段落の構図」

１章では、三分節の段落構成について説明した。実は、段落構成の前に「落書き」と「グループ化」の大切な作業がある。これが苦手な人は、練習すればできるようになる。練習して慣れると、三分節でスラスラとレポートを書けるようになる。こうして文章構成の思考力が鍛えられる。頭の中で一瞬の内に行なう「落書き」と「グループ化」は文章力の一つである。文章力は教育可能な能力である。文章力は、生まれつきの能力ではなく、生まれた後で学習して習得する能力である。下書きをたくさん書いて推敲して清書することを繰り返すと、文章力が得られる。

１）落書き

まず「落書き」である。テキストや原稿用紙の余白も使える。「体験」を文章化するためには、まず思い浮かんだことを落書きする。何もせずにあれこれと思い悩んでいては同じことを堂々巡りするだけで、時間が過ぎてしまう。言葉、文節など、とにかく書き出す。

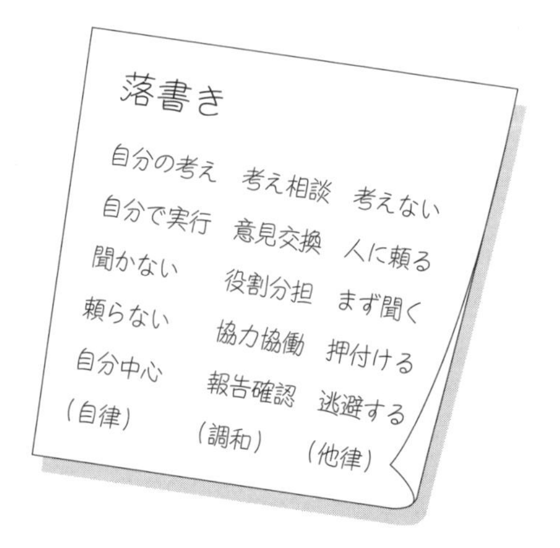

ある言葉から次の言葉を連想していくと、今まで思い浮かばなかったような良いアイデアとの出会いもある。文章を書く作業は料理と同じようなものである。まず材料を用意する。

２）グループ化

次に同じようなものを集めるグループ化を行なう。子どもの頃に遊んだ「仲間集め」「仲間外れ」を応用する。同じ言葉のグループに分類する。仲間外れのグループも作る。分類することによって、共通点、相違点がはっきりしてくる。これは視覚もこの理解を助けてくれる。文章を書くのが得意な人は、この作業を頭の中で一瞬の内に成し遂げている。これは練習すればできるようになる。冷蔵庫の中をのぞけば、野菜のグループ、肉のグループ、魚のグループ、その他のグループなどと分けることができる。同様に、頭の中で書く内容を分類する。そしてメモをとる。

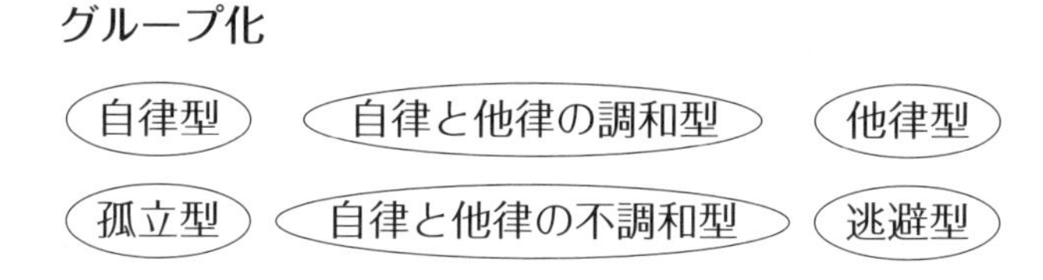

３）段落の構図

そして「段落の構図」を作る。料理の手順である。まず目的をはっきり決める。何を作るか目的がないままに下ごしらえを始めることはまずない。文章も同じである。「今夜はカレーに決めた」というように、エイッ、ヤッとテーマ（題）を決める。文章も同じである。書き出しは「これからカレーを作る手順について説明する」などのように、書く主題を約束する。そしてこの約束に従って書き進める。各段落の冒頭には、「次に……について述べる」とミニ主題文を提示する。「まず野菜と肉を切る」「次にそれらを炒める」「そして煮る」

「香辛料を入れる」などのように全体の段落の設計図を作る。

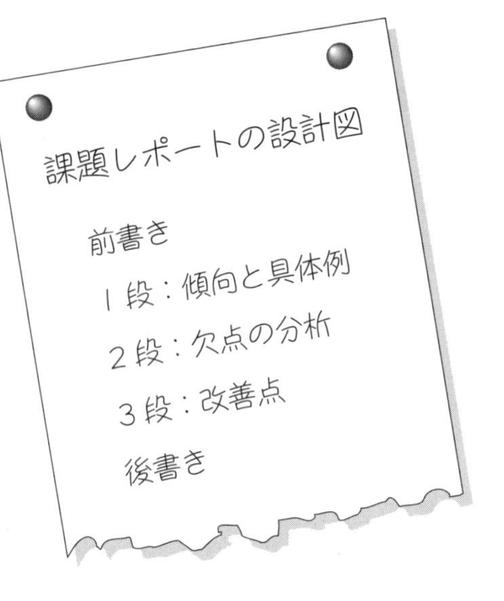

構図ができたら、それに合わせて執筆する。途中で構図と合わないことが出てきたら、構図を修正する。結論が後に来る起承転結では、読む人は最後まで集中して読まなければならないので、書き手が何を訴えたいのかわかりにくい。結論が先に来る書き方は書く人にとっても、読む人にとってもわかりやすい。

2．書く意義

第一の意義は、「自分が知り得た情報を自分にも他人にもわかりやすく表現し、伝える」である。「他人にも自分にもわかりやすく伝えるにはどうしたらいいのだろう」と筆者が担当する看護学生の９割以上が悩んでいる。答えは「三分節法」である。これまでに説明してきたように、三分節法が書けない悩みを解決してくれる。看護の職務で大切な要素は「患者とその問題点」「看護師が行なった援助」「患者の結果」の３点である。

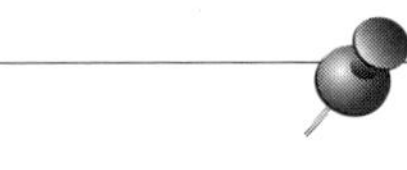

- わかりやすく伝える
- 新発見がある
- 心が癒される

第二の意義は、「今まで気がつかなかった意味を発見する喜びの体験」である。自分の「心の中の原稿」を書いた後で「そうだ、こんなこともあった」とか「あれは、こんな意味だったのか」と新発見がある。読書が自分のぼんやりとした思いをはっきりさせてくれるように、文章化すると自分の思いがはっきりしてくる。ある学生は「実習しているその時にはわからなかったけれど、記録を書いた後で、その意味がやっとわかった」と、新発見の喜びをレポートしていた。人の中にはキラリと光る輝きがある。ただ磨きが足りないだけである。筆者の授業では、講師が学生を磨くのではなく、学生が自分で磨くように指導している。

第三の意義は、「心の悲しみや苦しみ、悩みが癒(いや)される」である。文章が苦手という劣等感が解消される。「日記に書くことは心のビタミン剤、安定剤である」という学生もいる。誰にも相談できない、話せない思いを文章に書き表すと心の傷が癒される。

第四の意義は、「出会いの楽しみ」である。読み手からの共感や反論は新しい発想との遭遇である。小学３年生の子どもに三分節法を教えたら、作文が好きになったと共感する学生や本書の間違いを指摘する学生との出会いがあった。ここに書くことの面白さがある。

３．レポート課題

１）問題解決能力の向上

良いレポート
1. 問題解決能力が向上
2. 分析が深い
3. 自己学習が充実している
4. 返却が待ち遠しい

レポートは何のために書くのか。当然、単位取得のためである。ところで、もしも、単位取得の条件になっていなかったらどうか。それでもレポートは書く価値がある。レポートには科目試験ではどうしても得られない学力の向上がある。試験は受動的な知識の「暗記能力」を測定する。これに対してレポートは能動的な問題解決の「創造的能力」を測定するものである。問題解決の創造的能力こそ真の学力である。これが社会で活躍する上で重要な能力である。この向上がレポートの目的である。問題解決能力は人生の様々な問題を解決していく力である。人に聞いて頼るばかりではなく、自分の力で答えを出す必要がある。

一般にこれはPlan計画・Do実行・Assessment評価と言われている。

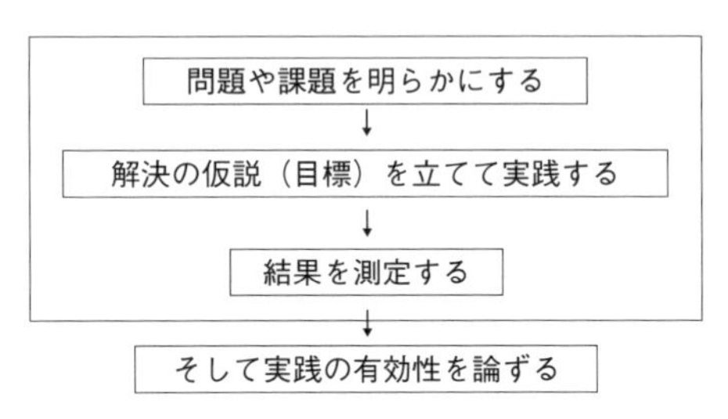

問題	AにはBという問題がある。
実践	BについてCの計画を立てて実践した。
結果(1)	Bは改善した。
評価	AにはCの実践が有効である。
結果(2)	Bは変化がなかった。
評価	AにはCの実践が有効か無効かわからない。 追究する必要がある。
結果(3)	Bは悪化した。
評価	AにはCの実践が無効である。 計画と実践を修正する必要がある。

これが問題解決の過程である。嫌々書いたレポートは**自分の考え**に責任と自信がない。書かされているという意識で書いたレポートは自主性と主体性がない。誰かに書いてもらったレポートは偽りのレポートである。引き写しの多いレポートは事務的複写作業に過ぎない。どれも真の学力にはならない。レポートは、自分で自分の思考指導を行なって、その過程や成果を添削する人に問う自己学習の報告である。「……とは何か」を自分で自分に問い、その答えの仮

説をたて、仮説を検証し、結論に至る。この過程は科学である。

書く作業は自分の学習経験の言語化である。辛い作業だが、レポートは何度も書き直してこそ、良いものができあがる。自信のあるレポートを提出できたら、返却が待ち遠しくなる。

自分の書いたものを見られるのを恥ずかしいと思っている人が多い。しかし、書くことに楽しみを感じるようになると、誰かに読んでもらいたくなる。また他の人の書いたものを読んでアドバイスできるようになる。これは学力の向上を意味している。

2）分析力を伸ばす

要素分析は、物事を分解してその構成要素を明らかにする。人体の主要な部分は、頭・胸・手である。理想的な人間像は、知性・思いやり・技術とそれらが調和した人間である。寝たきりの患者に必要な三つの看護といえば、食事・排泄・清潔の援助である。

演繹（えんえき）分析は、一般原理から特殊な法則を導き出す。糖尿病患者を分析すると、「末梢血管や視神経、腎臓の障害」が演繹できる。また「学力の高い学生は予習・復習の時間が多い。学力の低い学生は予習・復習の時間が少ない」と推測できる。

帰納（きのう）分析は、複数の要素から一般原理を導き出す。「隠れて甘いものを食べる糖尿病患者」を分析すると、「自己管理できない患者」と帰納できる。「遅刻や欠席の少ない学生は学力が高い。遅刻や欠席の多い学生は学力が低い」と推測できる。分析力が増すと、思考力がつき文章力が伸びる。

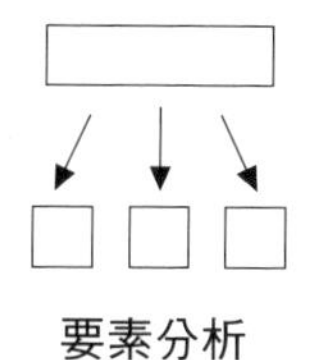

要素分析

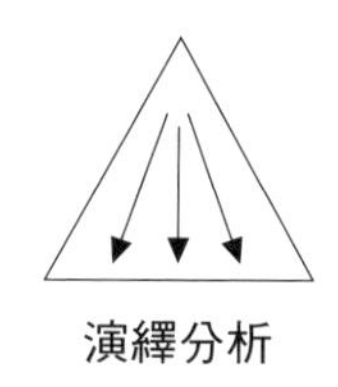

演繹分析

帰納分析

3）レポートの構成

- 粗筋（あらすじ）は読んだことの証拠
- 要点を自分の言葉でまとめる
- 決心や決意は不要

意見や所見は冒頭で述べる。まず書く内容を約束する。そして、この約束に従って書き進む。書き進んでいく内に構図と合わなくなったら、構図を修正する。

(1) 原稿用紙２枚以上のレポートの書き方

原稿用紙１枚のレポートが書けたら、２枚以上のレポートに挑戦する。１枚のレポートを１項目にして、これを２項目、３項目と繋（つな）いでいく。１行目にレポート課題を転記する。２行目に出席番号、氏名を記入する。３行目から書き出す。全体構成は次のようにする。

課題(例)「この講義を受けてどんな変化があったか。今後の課題」

はじめに(全体に何が書いてあるかがわかるように70字程度１段落で要約を書く)

（例）この課題に対して、改善したことと今後の課題について、1．文章の基本がわかった、2．他者の視点で書けるようになった、3．看護観が明確になったと、いう３つを述べる。

1．文章の基本がわかった。今後の課題（ここを３段落で書く）

2．他者の視点で書けるようになった。今後の課題(ここを３段落で書く)

3．看護観が明確になった。今後の課題（ここを３段落で書く）

おわりに（文字数調節のために、「まとめ」とか「考え」を付け加える）

2,000字と指定された場合の文字数は、行（ぎょう）単位で考える。最後の行も１文字でも書いてあれば、その行を埋めたことになる。

(2) 概要をまとめるレポート

「レポートの書き出しの言葉が思い付かない」という人は多い。これは、全体に何が書いてあるかわかるように、「このレポートには、

1. ……、2. ……、の○点について述べる」と書き出す。つまり、読み手に対するレポート（報告）になるようにする。

執筆者の考えが求められていない場合は、概要だけを書く。引用ではなく自分の言葉を使って書く。内容にはAとBの関係や違いについて述べる。また「Aである」だけでなく「Aでない」点も言及する。時間的・空間的に対比して陳述する内容を増やす。

こうして仕上げる。しかしもっと良い評価を得ようとするならば、同種で別のテキストを読む必要がある。そこには、課題テキストには思いもしないような問題点が述べられていることがある。こうしたことを付け加えたらレポートの完成である。

4）引用・剽窃・孫引きの問題

レポートや論文を書く場合、「引用」と「剽窃（ひょうせつ）（盗用）」に気を付ける。あまりに長すぎる引用は禁物である。引用が長すぎると、添削者の評価対象がレポート提出者ではなく、引用されたテキストの執筆者になってしまう。引用は全体の1、2割程度と考えられる。それ以上になるとレポーターの主張ではなくなってしまう。「……によれば～～は……である」というように、わかったこと、理解したことを自分の言葉で要約する。また引用した場合には一重カッコ「　」でくくり、引用符（「」[1]）を付ける。最終ページに出典を明記する。

引用の目的は、1. 先行研究を明らかにする、2. 自説と対比する、3. 自説の拠り所とするなどである。引用を明らかにすることによってレポートの価値が高まる。引用を隠すことは偽りを報告することになる。大学では、レポートのコピーを拒否する目的でそれを返却せず評価点数だけを通知するようになった。コピペは自分で行なった学習の成果ではなく、複写作業を報告したものである。

論文のコピーや引用した文献名を隠すことは、剽窃の罪を問われる。卒業資格の取り消し、学位の剥奪、社会的な非難など罰がある。末尾に添付する「引用一覧」の順番は、著者名、著書名、発行所、発行年（西暦)、ページが一般的である。「孫引き」は禁止行為である。原著書を調べて引用文献にする。

4．「学ぶ－教える」教育の可能性と魅力

1）学問は自ら学ぶもの

通信教育には、通学とは違う、一味違った魅力がある。それはレポートの添削指導である。提出すると必ずABCD（Dは不合格）の評価がある。それにどういうことが良かったかも添えてくれる。これが嬉しい。筆者の講義は90分授業の内60分である。残り30分は学生が課題に沿ってレポートの下書きをする。ある学生は「消したり書いたりするこの30分が楽しい」と書いていた。学問は、教えられて学ぶものではない。自ら「問うて」「学ぶ」ものである。自分の思考指導を自分自身で行なうのが学びである。筆者は通信教育の先生がしたように、添削して励ましの言葉を書いて、翌週に返却する。筆者が受け持つ学生は働きながら学ぶ定時制の学生もいる。夜勤明けでは眠くなる。授業中に眠ってしまう。しかし後で資料を読んでレポートを提出する。まさに、通信教育である。

2）学ぶ意欲を引き出す教育

看護の仕事では、教える立場になることもある。その時に、学ぶとはどういうことであるかを知る必要がある。学ぶことは自主的で主体的な行動である。「学びたい。学ぶのだ」という意欲のある人だけが学ぶことができる。他律的な人は学びが少ない。教える仕事には忍耐が必要である。まず「学びたい」という意欲を引き出す工夫が必要である。この意欲を引き出せたら、教える仕事の90%は成功したと言える。

これには古代ギリシアの哲学者ソクラテスの産婆術が参考になる。彼は対話（質問と答え）によって無知の自覚を引き出し、学ぶ者が自分で答えを見つける指導を行なった。それは妊婦が自分で子どもを産むことができるようにする助産師の手助けに似ている。

「教育（education）は人間の秘められた能力を引き出すことだ」と言われる。education のもとのラテン語のエデュカーレは「引き出す」の意味である。レポートも添削者から良い批評を引き出すような作品に仕上げる。「学ぶ＝教える」である。「教える－学ぶ」の相乗作用に教育（看護）の可能性と魅力がある。

書くことの四つの意義はどれも新しい自己発見が伴う。わかりやすい記録を書いている自分がいる。自分の内部から新しい自己発見があった。悲しみが慰められ、心が癒された。出会いがあった。書くことは実に楽しい作業である。

5．グループ学習での問題解決

問題解決には、過程だけでなく「態度のあり方」が問われる。問題解決の態度には、①自律型、②他律型、③自律と他律の調和型、④孤立型、⑤逃避型、⑥自律と他律の不調和型がある。①は行動的でいいが、独り善がりの傾向があるのでグループ学習では失敗の恐れがある。②は人に聞くのでグループの和を保てるが、人に頼って行動するので責任能力は低い。③はチーム活動に必要な、人に頼りつつ責任を果たす調和した能力である。④は自律が過ぎる場合や相談する勇気がないなど欠点を持っている。⑤は他律が習慣化して、全てにおいて逃避の行動を取る。⑥は好き嫌いで行動を変える。

筆者の 2012 年調査によれば、学生の傾向はおおよそ、他律型 58％・自律型 19％・調和型 15％・孤立逃避不調和型８％である。まず、各自が自分の傾向を分析して自覚する。次にグループで話し合って、それぞれの傾向を確認する。報告・連絡・相談・評価・確認をして欠点を克服する。そして各自ができる任務を分担し合って、問題には協力して立ち向かう。

グループ学習やチーム看護が成功するためには、メンバーには、自分で考えて行動する**自律**、グループの任務を引き受けて果たす**責任**、他のメンバーと協力する**協働**、グループに役立つ**貢献**、他のメンバーの労苦に対する感謝と労いの**敬意**など人格の成熟が必要である。そのために「事前に各自が自分の考えをレポートにして持ち寄る」「各自が自律と他律の調和に成長するように目標を持って参加する」ことが有益である。姉妹編テキスト『看護グループワークは楽しい、おもしろい』（筆者著 金芳堂 2014）に詳細がある。

練習課題

1．私の問題解決の態度の考察

（２章のレポートは「要素に分ける分析的構成」の練習である。１段目には自分の傾向について「私には……の傾向がある」と書き出す。そしてその具体例を書く。２段目には自分の欠点について分析する。３段目には改善点を述べる。前書き(例)「級友から見た自分について考察する。その問題点と改善点について述べる」と、後書き(例)「自分の言動を振り返ったら少し成長できるような気がした」を付ける。キーワード「分析」をレポートのどこかに使用すること。）

Memo

苦手意識の原因の一つに「字が下手」がある。文字の縦と横線を原稿用紙の縦と横の線に、並行または垂直に引くように試みる。文字はゆっくり、枠内に大きめに書く。これでかなり克服できる。

3章 論理的な読点の使い方

この章では読点の論理について研究する。読点の機能と用途は複雑である[5)]。このため、読点の打ち方に客観的な基準はない。だから、読点は書き手の判断で自由に使われている。しかし、書き手は自分が打った読点について、**読者**に対して責任がある。本章には「読者」と「読み手」が9回使用されている（太字で強調）。読点を考えると、読者を発見し、文を短めにして、文章に他者の視点を添えることになる。

ところが、原稿用紙のマス目を一つでも多く埋めるために読点を打つ人がいる。読点の論理を知らず、無意識に打っている人もいる。これでは良い文章は書けない。意識して論理的に読点を打つ技術を自分のものにすることが本章の目的である。

日本語の縦書きでは必ず読点「、」と句点「。」を使う。本書ではこの表記に従って、横書きにも句読点を使っている。横書きの日本語に句読点の代わりに、コンマ「,」とピリオド「.」を使うのも一般化している。これは横書きのアルファベット表記の記号を横書きの日本語に利用した表記法である。（註：読点は「とうてん」と読む）

1．読点の打ち方には客観的な基準はない

1）子どもでは多く、大人では少ない

子どもの文では読点が多く、大人の文では少なく使われる。子どもの文は平仮名で書くので、文字が続いていて読みにくい。読みやすくするために読点が必要である。しかし、大人の文は漢字やカタカナが混ざるので、読みやすさの読点は不要である。

［例］子ども：うらにわには、にわ、にわとりがいる。（読みやすさの読点）
大　人：裏庭には二羽ニワトリがいる。

2）文学では多く、論文では少ない

文学では読点が多く使われ、論文では少ない。文学では、強調や意外な所、倒置などに読点が使われる。一方、論文ではこれらの文学的な読点は使わない。事実を事実通りに文字だけで伝える。

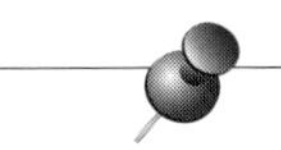

- 子どもは多く、大人は少ない
- 統一化できない
- 何を書くかで変わる

［例］文学：彼は、歩いた。（前後の語の強調の読点）
事前に準備するので失敗したことが、ない。（意外な所の読点）
知らなかった、それまでは。（倒置の読点）
論文：彼は歩いた。
事前に準備するので、失敗したことがない。
それまでは知らなかった。

読点の数の変化の要因

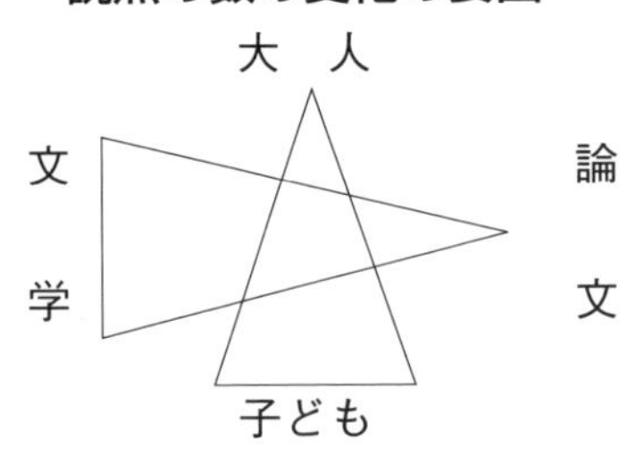

次の文章の一つだけの読点は「あまい」の強調である。

文学：「あまい　あまい　かぶになれ。大きな　大きな　かぶになれ。あまい　あまい、大きな　大きな　かぶになりました。」

書き手は、**読者**が読みやすいように配慮して読点を打つ。しかし、文学ではこれに反した意外な読点や強調の読点が使われる。これらの読点は、**読者**に戸惑いといらだちを与える。繰り返されると、読むのが嫌になる。国語嫌いの原因の一つでもある。

3）句点（。）は客観的な基準がない場合がある

文の終わりに打つ句点は客観的基準がない。文部科学省の基準によると（法律文と検定教科書のみ）、文の途中でも句点を打つ[6]。例：「どちら へ。」。しかし、このようにここで切って、文を続けたい場合に［　。」。］と句点が二重になる。新聞社や出版社、一般社会ではこの句点を使用しない[7]。例：「どちらへ」。このように二重の基準が存在している。「文」は、文字を書き出して句点で閉じたものである。

4）読点（、）は客観的な基準がない

「主語の後に読点を打つ」という方法がある。しかし、この基準には論理的な根拠がない。例えば「看護学は実践科学である」の文では、意味が正しく伝わるならば読点は必要ない。読点の機能や用途は複雑である。基準を作っても例外が発生する。そのために基準が役に立たなくなる（主語の後の読点はp.33を参照）。

5）「誰が」「何を書くか」によって打ち方が変わる

執筆者（誰が）には、年齢、職業、性別などの違いがある。また、作品（何を）には、作文、小説、自分史、会報、新聞、会議録、論文など多くの分野がある。これら全てに共通する読点の打ち方の基準を作ることは不可能である。だから、誰が何を書くかで読点の打ち方は変わる。看護学生の文章には「大人」と「論文」の読点が求められる。読点がない長文や、読点が多い長文はわかりにくい。看護記録は伝えるためのものである。**読み手**にわかりやすい文の構造は、読点が少なく短いものである。

2．読点の三つの性質

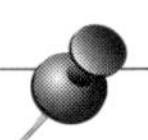

- 係る－受ける言葉を繋ぐ
- 視覚的に読みやすく
- 無意識を避ける

1）読点の論理的性格

読点は、係る言葉と受ける言葉の関係を明らかにする。「筆者は重症筋無力症を発症し胸腺摘出術を受けた52歳の患者を受け持った」と書いた場合、これは「筆者が重症筋無力症を発症した」と、「52歳の患者が重症筋無力症を発症した」の二つの解釈ができて曖昧である。

「筆者は、重症筋無力症を発症し……」と、読点で分けると「重症筋無力症を発症した」のは52歳の患者となる。しかし、これは「筆者は52歳の重症筋無力症患者を受け持った。その患者は胸腺摘出術を受けていた」と、分割すると意味が明確になる。論文では読点をどう使うかではなく、意味が明確な文の構造を求められる。

2）読点の生理的性格

「息の切れ目に読点を打つ」という方法がある。しかし、これには問題がある。「話し言葉」と「書き言葉」と「朗読」の間(ま)の取り方は、個人差があり一致しない。だから、多くの人に共通する息の切れ目はない。また、レポート・論文は「朗読」が目的ではないので、息継ぎや間のための読点は必要ない。一方、**読者**の視覚に配慮して、読みやすくする読点は必要である。

3）読点の心理的性格

文学には、書き手の好みや癖、無意識で打たれる読点がある。

一重カッコを使った文の読点

例：「……効果的だ」と思った。（論文の書き方）

「……効果的だ」と、思った。（好みや癖による強調の読点）

一重カッコを使わない文の読点

例：　……効果的だと思った。（論文の書き方）

……効果的、だと思った。（好みや癖による強調の読点）

……効果的だ、と思った。　〃

……効果的だと、思った。　〃

レポート・論文の読点を好みや癖、無意識に使ったのでは文学になってしまう。論文は事実を論じる文である。レポートや論文を書く時には、意識して読点を打つ集中力と緊張感が必要である。

3．主語の後の読点と一重カッコを使った会話文の前後の読点

一般に二つの原則が広がっている。これは論理的な根拠がなく、正しくない。

【原則１】叙述の主題となる語の後に使う。ただし主語が短い場合には使わない。

例：私の家は駅から遠い町外れにある。（主語「私の家は」が短い）

１）読点を打つかどうかは書き手の自由である

読者は読点の有無に関係なく意味を正しく理解できる。書き手は主語が短くても、好みで読点を使う場合がある。

２）主語が「短い・長い」の基準が不明確である

「原則１」は、主語が短いのは何文字までで、何文字から長いかの基準を示していない。「京都市左京区の私の家は、駅から遠い町外れにある」では、主語が短いのか長いのか判断できない。

【原則２】会話文や引用文などを「　」一重カッコで囲んだ文の前では、必ず打つ。ただし、会話文や引用文などを「　」で囲んで「と」

で受ける場合、それが述語に直接続く時には使わない。また直接続かない時には「と」の次に使う。

1）一重カッコの前後の読点は論理的な根拠がない

例：患者は申し訳なさそうに、「すみません。眠れないのですが」と言った（述語）。（「と」が述語に直接続く）

患者は、「すみません。眠れないのですが」と、申し訳なさそうに言った（述語）。（「と」が述語に直接続かない）

この文は読点がなくても意味が通じる。「原則２」には読点を打つ論理的な根拠がない。

2）「原則２」の「ただし」では不都合が生じる

「原則２」では「と」が直接述語に続く時には、読点を打たないとしている。ところが、次の例では「とぶつ」と誤読の不都合が生じる。例：二人の意見は「どこまでもやり合う」とぶつかった。

原則に反して読点を打って「と」と「ぶ」を分け「……と、ぶつかった」とした方が適切である。

以上の理由で、「原則１」と「原則２」は読点の基準として役立たない。読点は書き手の自由と責任において使われる。

4．読点の必要度と効果

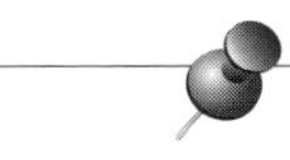

●読点は書き手の
自由と責任で打つ

1）読点の必要度

読点の機能は「分ける」ことである。読点を打つ時は「何と何を、何のために分けるのか」と考える。「分ける」必要度が高い時に打ち、低い時には打たない。中間の時は書き手の判断による。

①小鳥が２、３羽飛んでいく。→ 小鳥が23羽飛んでいく。（必要）

②野原に花が咲き、小鳥達は梢で歌う。→ 野原に花が咲き小鳥達

は梢で歌う。（必要と不要の中間）

③起きるのが遅かったので、急いで家を出た。→ 起きるのが遅かったので急いで家を出た。（必要と不要の中間）

文字数が少ないのですごく気にしていた。→（必要）

④私の家は、町外れにある。→ 私の家は町外れにある。（不要）

⑤社会的、時間的考察。→ 社会的・歴史的考察。（中点を使う）

2）読点の効果

原稿用紙１マス分の読点に５種類の効果がある。

①時間の経過を盛り込む。（子どもの頃、夕方、みんな）

②言葉の係り受けを明確にする。（２と、３の２倍は８。２と３の、２倍は 10）

③読点前後の言葉を強調する。（彼は成功した → 彼は、成功した）

④読みやすくする。（掃除洗濯買い物 → 掃除、洗濯、買い物）

⑤リズムを生み出す。（昨日（きのう）、今日（きょう）、明日（あした））

5．語順を工夫して読点を減らす

読点は、係る言葉と受ける言葉の関係を明確にするために用いる。しかし、**読み手**にわかりやすい文章には、語順の工夫が見られる。語順を変えて両者の関係を明確にすれば読点は必要ない。

とても、人生が充実していた。→ 人生がとても充実していた。

解決すべき、患者の問題は何か。→ 患者の解決すべき問題は何か。

患者に、看護師もこうありたい。→ 看護師も患者にこうありたい。

この、達成すべき課題は、→ 達成すべきこの課題は、

自動車と、10 万円の入ったバッグを盗まれた。→ 10 万円の入ったバッグと自動車を盗まれた。

松井が、２日連続となる、第 17 号ホームランを打った。→松井が第 17 号ホームランを打った。ホームランは２日連続だった。

思いつくまま文字を並べていって、息の切れ目で読点を打っては、良い文章にならない。語順を考え読点を少なくすると文章が良くなる。

6．論理的な読点の打ち方

1）全く読点を使わないで文を書いてみる。

読点を使わないで書く（10字）。意味が正しくない文の場合は、語順を変える（20字）。1文は長くても50字から70字までにするとされるので文を分割する（30字）。1文が70字以上の長い文になると、主語と述語が複数になり、**読み手**がわかりにくくなる（40字）。文は身体に譬えることができるので、主語は頭、述語は身体となるが、文は一つの頭に複数の身体では不幸な状態である（50字）。一つの頭に一つの身体が理想であるが、一つの身体に複数の頭のある状態では不幸な事態であり、1文1主語1述語の短い文がわかりやすい（60字）。

文も同様であり、命題論理では文章の最小単位は単文であり、単文とは1文1主語1述語であるため、単文と単文は接続詞で結ばれ、そして文章となる（70字）。

以上の例文から、40字以上の長文は注意が必要である。一つの文を長くする理由がないなら、文は分割して短くする。文を短くすると、一つの文の読点が少なくなる。一つの文を長く書くことに文章力があるのではない。長い文は不幸な文である。

2）**読み手**の視覚を考えて必要最小限に打つ。この技術習得にはパソコンが便利である。読点の移動、削除、修正などがしやすい。

3）何度も書き直す。この作業をおろそかにしては良い文章は生まれない。読み返して修正する。「継続は力なり」である。

4）自分の文章を誰かに見てもらう。読点の使い方は個人の好みによって違うのだから、何かを指摘してくれるだろう。

1. 読点は少なく打つ
2. 語順を変える
3. 文を短くする

5）文章を書き上げたら、ひとまず1日か何日かそれ以上の期間、どこかにしまって置く。書き上げたすぐ後では思考が熱くなっていて、良い悪いの判断ができない。思考が冷えてから読み返すと、自分の作品をまるで他人の文章のように冷静に読むことができる。

6）原稿用紙のマス目を埋めるために読点を使ったり、改行を多くするのはやめる。具体例を書いたり、対比するなどして字数を増やす。原稿用紙3枚以上の場合は「小見出し」を付けると、読み手が内容を理解しやすい。

7）読点の数は一つの文に2個か3個までである。4個以上になると、読者は意味がわからなくなる。

1個：――、――。
2個：――、――、――。
3個：――、――、――、――。
4個：――、――、――、――、――。

8）読点の数は1行20字の原稿用紙で、1行に1個ぐらいを目安にする。

9）「読点の間違い探し」を試みる。新聞や本の読点の打ち方に注目すると、読書の楽しみが一つ増える。さあ、今日から読点は少なめに打とう。あなたの文章は「変わったね」と言われるに違いない。

読点の使い方は、日本の学校教育では詳しく指導されていない。そのために、読点の使い方を誰かに尋ねるのは、「何を今更……」と、恥ずかしく感じられるテーマの一つである。尋ねられた方も答えられない人が多いだろう。本章は、岡崎洋三『日本語とテンの打ち方』[5)]（晩聲社

1990）を参考にした。本書は、読点の使い方に関して優れた文献の一つである。

文部科学省は「学習指導要領」で［主語を示す「は」や「が」の後、……に読点を打って……］と指導している。これは必要な場合もあるが、主語の後に読点がなくても意味が正しく伝わるならば、読点は不要である。この基準は主観的であり、客観的根拠がない。読点は日本語特有の記号である。しかし、学校教育における読点の使い方についての指導は不充分なので、本書３章の内容はレポートや論文を書くために必要不可欠な知識の一つである。

練習課題

1．読点の打ち方 ―― 私の場合 ――

課題意図：１段目に過去の打ち方はどうだったかを述べる。２段目に現在の無意識的な打ち方や、多すぎる打ち方について記述する。そして３段目に未来について、論理的な使い方について目標を書く。
前書き例：「自分の過去と現在の読点の打ち方について考察する。読点の使い方について、未来に向けて改善点としての目標を述べる」。
後書き例：「読点の使い方について、自分がいかに無知で無意識だったかを自覚した。読点の使い方を意識化し、論理的に打つ練習をすれば文章力は向上すると確信した」。

Memo

全人的能力：「聞く―話す―読む―書く」

学生は「講義の時間に書く作業は、初めは苦痛だったが、４回目を過ぎたら書きたいことがスラスラと出てくるようになった」という体験をする。そして「ひとの話を聞くのがうまくなった」や「話をするのが上手になった」「本や新聞が読めるようになった」と成長する。

4章 良い作品を書くには

1．材料を用意する

1. 良い材料で良い作品を
2. 文章力で良い作品に

良い作品を書くためには、良い材料（体験）が必要である。ある学生は「小学校時代に賞をもらうことを目標にたくさんの作品を書かされた。表現に工夫し、いろいろな言葉を使って起承転結の構成で書いた。しかし、賞はもらえなかった。その理由が今になって分かった。その時に良い体験をしていなかったからだった」と書いた。この場合、賞の基準は、文章力ではなく、良い体験である。

ところが、筆者は看護学生の文章指導を長く行なってきて、良い体験ではなく、文章力に賞が与えられる評価を目の当たりにした。ある出版社は「エッセイ」を募集した。選者は2007年に優秀賞に選んだ作品について、こう書いている。「選ぶ基準をどうするか」「私はエッセイ賞の特質は何かを改めて考えた」「大事なポイントが２つある」「１つは看護……がテーマ……として……捉えられていること。もう１つはエッセイとして文章がすぐれていること。……表現力の問題だ」「この２点から各作品を改めて精読すると、前者の点ではなかなか優劣がつけにくくても、後者の点で差が見えてきて、Ｔさんの作品が群を抜いてよかった。とくにこの作品は、構成、文章、ディテールの描写のどの点でも、エッセイとして完璧といえるほどすばらしい」「理屈を表に出すことなく、本質を語るエッセイの神髄（真髄）だ」[8)]。

実のところ、Tさんは筆者の講義を受けた一人で、多くの学生と同じく文章を書くのが苦手だった。アルバイトで、死を前にした患者さんの世話をして、10回のレポートで得た文章力で書いたエッセイだった。文章力は苦手な学生でも習得が可能なようだ。

我々は外界の事象を五感（視覚・聴覚・触覚・味覚・嗅覚）によって捉え、心（知性・情緒・意思）で認識する。心は知・情・意に対応する真・善・美の価値を捉える。これを一般に、感性や感受性という。眠っている感受性を呼び起こす。新しい発見や気づきの喜びを体験する。

ところで、良い材料がなければ良い作品が作れないのかというと、そうでもない。「ありきたりの材料を使っても、それなりの料理を作ることはできる。それが料理の醍醐味でもある。何でもない材料を良い料理にするための力が、文章力だ」と学生のレポートにあった。良い作品を書くという作業は、ありきたりの材料を使った料理作りに似ている。

2．自分を他者の立場に置いて書く

1. 思ったままではだめ
2. 他者の立場で書く
3. 自分を自分で批判する

経験と言語の関係は次頁1図のように、経験の幅が大きく、言語の幅は小さい。経験を文章に書く作業は翻訳に等しいほどのエネルギーを要する。

文章は作り物であり、習作（優れた芸術作品、傑作）である。感じたまま、思ったままに書いては、読み手に言いたい内容が伝わらない場合がある。良い作品にするためには、技術が必要である。

文章に書き表すには、「体験がある。言語を知っている。文法を理解している。段落構成ができる。結論を書く論理的思考力がある」が先立つ。その上に、読む人の立場、つまり自分を他者の立場に置いて書く技

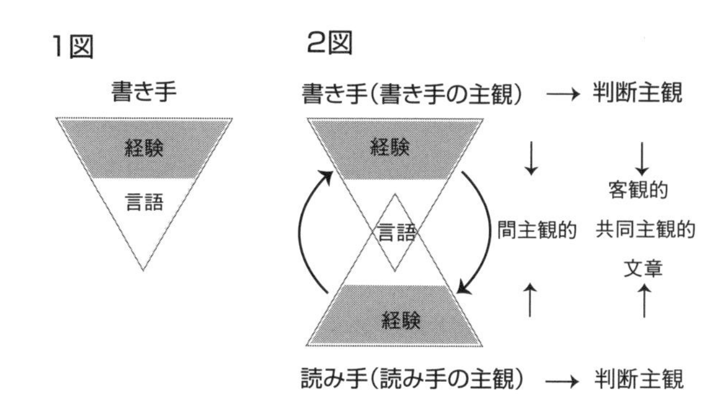

白石克己「通信学習論序説」『全人教育』より[9)]

術が求められる。他者の視点がない文章は独り善がりである。読者の共感を得る作品には他者の視点がある。

学生のレポートに「学校から帰ると、母親が夕食を作っていても嫌いなものだったら嫌だと言って食べない。すると、母親は作り替えてくれる」「こんなものは食べない。金をくれと言って外食してくる」とあった。この状態では自己中心的で、未熟な人格である。自我が確立していない人は自分を他者の立場に置くことはできない。自我を確立する必要がある。自我が確立すると、他者の立場で文章を書けるようになる。

文章を書き上げた後で、自分を書き手から読み手の立場に変える。そして「どうして、なぜ、その根拠は何か」と批判して推敲する。これは書いている時でもできる。こうして、自分を他者の立場に置いて文章を書く。これは書き手の自分と読み手の自分の対話である。

自分を他者の立場に置いて書くための方法として「私」を「筆者」と書く方法がある。これはレポートや論文に用いられる方法である。こうして、主観的文章から間主観的（客観的）な文章にする。間主観的とは２図に示す「書き手の主観と、読み手の主観の間」という意味である。本格的な研究論文では自分を「私」とは書かない。第三人称を表す「筆者」や「本研究者」を使う。学生は「本学生や本実習生」などを使える。

こうして、研究が主観的になるのを防ぐ。

他者の立場で文章を書くことは、舞台の外で劇の台本を書く脚本家の作業のようなものである。舞台の主役は患者で、看護師は脇役（援助者）を演じる。台本には、患者の立場になって書いた生活上の問題解決のための看護目標（患者が到達する）と援助目標が書いてある。

自分のことを「私」で書いた体験文は、「私は……」と自己主張しがちになる。しかし、「筆者は……」と書き出すと、自分を他者の立場に置いて自己主張を抑える。「なぜそうなのか。その根拠は何か」と、もう一人の自分と対話しながら書き進む。自分の意見や考えを書いて、その根拠や具体例を加える。「筆者」を使って書き、根拠や例によって他者の立場から自分の考えを批判し、独り善がりの考えを防ぐ。

文章が自己中心的になるのは、人格が成熟せず大人になりきっていないためである。子どもは３歳頃に「自分でやる。自分のもの」という自己主張を始める。９歳頃に「○ちゃんがよくてどうして私はダメなの」と不公平を主張する。他者（養育者）と対話して自己と他者を調和させるようになって、18歳頃には「私はなぜ生まれてきたの」という自己実存の問題に直面する。モラトリアム（先延ばし）期間を通って、その答えとして使命を見つけて成熟して行く。

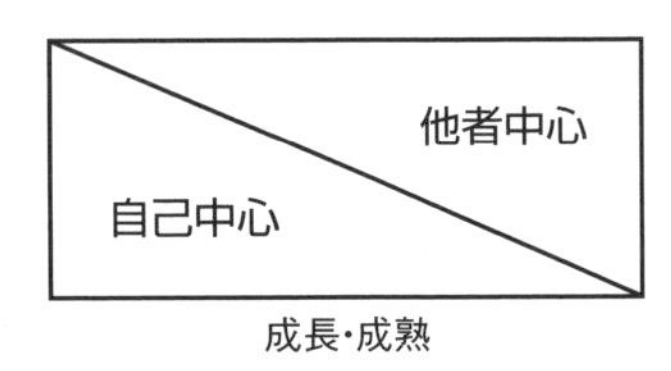

４章の課題で次のようなレポートがあっ

た。「筆者は挨拶される側に立って考えてみた。するとこのようなことは一度もなかった。この後、筆者は、級友に挨拶をして、その人達がどのように感じたのかを考えた。何日か後には、挨拶だけではなく、温かい言葉も返ってくるようになった。相手の気持ちを考えることは、その人への関心を寄せることだと気づいた。そして、人間関係も良くなることを知った」。「入学したての頃は、自分さえ看護師免許が取れればいいと考え、溶け込めずにいた。しかし、グループワークを経験したら、この考えは間違っていたことに気づいた。そこで、だれとでも挨拶をし、積極的に責任を持つようにした。すると、勉強や悩み事の相談もされるようになった。クラスメイトから見た自分は、同じ目標に向かう一員として映っているようである」。

自己中心性と他者中心性の調和を図ることができるように、人格を成長させて成熟する必要がある。

3．読みと闘う（自分との闘い）

1）自分でノート作りをする

筆者は1948年北海道南部の山奥で生まれて育った。小学校は分校があったが、中学、高校は８キロの道程を夏は自転車で、冬は雪道を歩いた。20歳で重症筋無力症が発症し４年間入院した。28歳の時「人間とは何か」という問いの答えを求めて玉川大学の教育学の通信教育を始めた。

通信教育ではレポートを提出（原稿用紙５枚）して合格し、次に試験を受け合格することによって１単位が取得できる。レポートは１カ月に２単位のペースで提出する計画を立てていた。さて、「書く」前に「読むこと」が筆者には重要な仕事であった。まず読めない漢字があった。意味のわからない日本語や、カタカナ外国語が出てきた。やさしいテキスト、難しいテキストといろいろである。自分に書けそうなテキストから取り組んだ。それでも必修で履修を避けられないテキストが多かった。

何度、目を通してもどうにもわからないテキストが何冊かあった。まず1週間のスケジュール表を作った。行動の優先順位を考えて、その中に通信教育の学習時間を確保した。読みや意味のわからない漢字は辞典で調べ本の余白に書き込んだ。そしてノート作りから始めた。テキストは何を言っているのか理解した内容を自分の言葉でまとめた。ノートは電車の中でも読み返した。意味がわからなければ修正した。玉川大学を6年かけて卒業した後、佛教大学の社会福祉学を通信教育で学んだ。その時のテキスト『社会福祉方法原論』は特に難しかった。コツコツとノートを作って14枚2単位のレポートを提出できるまで半年かかった。

筆者には「読み」も闘いだった。頭の中が「錆(さ)（錆は通用字体）びている」ような感じだった。通信教育の自己学習は頭の「錆落とし」のようなものである。「教育とは自分にないものを外部から取り入れることである」とも言われる。簡単なようだが難しい。取り入れるにあたって、道具（言語）がないのだ。まず道具の手入れ（錆落とし）からやらなくてはならなかった。技術（理解）も乏しい。急いでいても回れである。最も遠回りの道が最も近い道であった。評価はAで、教授の温かい励ましの言葉が添えられてあった。テキストの中には書き込みがいっぱいできていた。背表紙が汚れていた。辞典もつぶれた。背表紙の反対側の小口が手垢で汚れていた。その時の書き込みを見ると、今でも喊声(かんせい)やうめき声が聞こえて来るような気がする。

2）読みには秘訣がある

第一に、読んで理解できるには経験と知識が必要である。老人や障害者の介護、ボランティアなどの体験はテキスト内容の理解を助

1. 経験を豊かにしておく
2. 活字の世界に引き込まれない
3. 課題意識をはっきりさせておく

ける。また、看護と関係のない分野の本や新聞などの知識もテキストを理解する上で役に立つ。第二、あたりを付けて読む。本を読み始めるとどうしても、本のペースに引き込まれやすい。この本はどんな本なのか、社会学なのか道徳の本なのかあたりを付けておくと引き込まれにくくなる。第三、課題を持って読む。本は一般的に答えを探すとか何らかの目的を持って読む。課題意識を忘れずに読むと、学習もはかどる。講義に出る前に課題意識を持って『国家試験出題集』に目を通して授業に臨んだら、学力はより向上するに違いない。文章力のある人は読書量が多い。

4. 作文とレポート・論文との違いを理解する

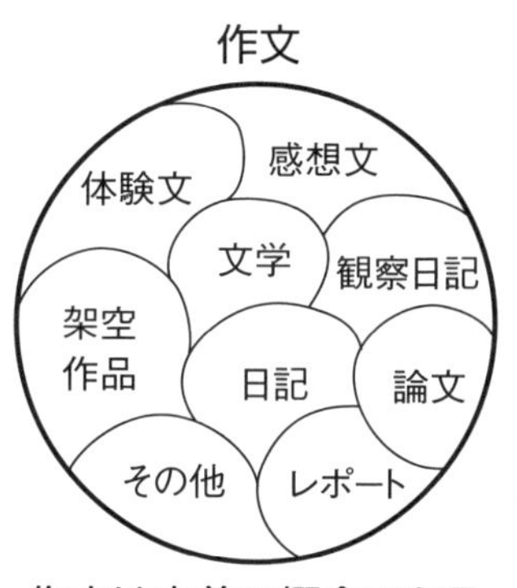

作文は広義の概念である

1）作文の基本は、5W 1H（When, Where, Who, What, Why, How）である。ただし、この要素はレポート・論文にも利用される。作文の範囲は研究文から、感想文や体験文、架空作品も含まれる。アサガオの観察日記は研究文である。行事の報告文も書く。また虚構の文学作品も作る。体験文は、主観的な「思った。感じた。したい」などの心情や情緒、決意も表現する。文体は敬体文でも、常体文でも書く。さらに、作文では様々な文が利用される。論文に使う文に加え、重文、倒置文、疑問文、命令文、感嘆文などが使われる。

2）レポートはある事実を明らかにするのが目的である。看護実習の報告もレポートである。患者や実習生が「言った言葉、為した行為、身の回りの状態」について詳しく記述すれば、事実を報告したことになる。

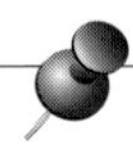

- 作文は様々な文が使われる
- レポートは主観を混ぜないで書く
- 論文は感情や個人的決意の入り込む隙間がない

実習レポートでは、①受け持った患者とその問題や目標、②解決のために行なった援助、③患者の結果の３点を書けば、レポートになる。事実を事実通りに報告している。これに「考える。思う」と個人的判断は加えることができる。しかし、「辛かった」と個人の感想を加えるとレポートではなく感想文になってしまう。

3）論文は「……とは何か」と問題を設定して、その答えの仮説（目標）を立て、答えを検証する。この答えが結論である。論文には必ず結論がある。論文は原因を追究したり、法則を探究する目的がある。ここにも「感じた。したい」など個人的な感想は入る余地がない。「筆者は～～」と自分を他者の立場に置いて書く。常体文（……である）で書く。したがって、論文で使う文は単文、複文、平叙文、断定文、推量文などに限定される。レポートと論文は、作文とは違うものであることを意識して書けば良いものが書ける。

レポートに結論を加えると論文になる。上記２）に説明した実習の援助に、④行なった援助の有効性を述べると結論になり、論文となる。感想や決意の入り込む隙間はないのが論文の特徴である。

5．その他の秘訣

1）転ばし過ぎない

沢田昭夫は、「起承転結は論文になじまない」と批判している。次の例のように「転」で別のテーマに移って、これとの論理的関係も述べずに「結」でもとのテーマに戻る。結局、何が主題かはっきりしないままに終わる。「転ばした」時に本線から外れてしまう。

起　天皇制は問題である。

承　天皇制についてはいろいろの見方がある。

転　イギリスの王制はエグバートから始まる。

結　天皇制はむずかしい。

白石克己は、沢田昭夫のこの批判を紹介し、論理的な構成に改めることができるとして次の例を紹介している[10]。

起　天皇制にはＡという考えがある。

承　この論拠はＢである。

転　私は論拠Ｃにもとづき Ｂは誤りと考える。

結　Ａという考えは誤りである。

2）逆接でメリハリを付ける

文章にメリハリを付けるのは逆接の接続詞「しかし、ところが、けれども」などである。「……は〜〜である」という表現が続くと、平板な感じの文章になる。執筆者が自分一人の意見を述べていくと、偏った主張になってしまう。読者は「どうもちがうぞ」と反対意見を言いたくなる。その時に、「ところが」、と逆接の接続詞が出てくると、読者は「待ってました」と興味を引かれる。そこで、筆者は今まで書いて来たことに反対意見を持つ読者を登場させて議論を展開する。こうすると、読者は「この結末はどこに行くのだろうか」と読むのが楽しくなる。読者の視点で論を進めると、独り善がりを防ぎ、良い作品に仕上がる。

3）心の引き出しの中を整理する

我々は、心（知性・情緒・意思）によって考える。そして体験したことを「心の引き出し」に記憶している。体験の記憶は、文章を書くための宝物のようなものである。「心の引き出し」の中を「古い体験」「新しい体験」「未来の体験」と整理する。

整理し、分類することは「分析」である。箪笥(たんす)の「引き出し」は、縦と横に並んでいる。その中にも、さらに細かく整理して入れられる。「古い体験」は、さらに「心に残った体験」「楽しかった体験」「辛かった体験」と分類できる。

文章も同じである。箪笥の引き出しのように、自分の考えを分析して整理する。箪笥には思い出がたくさん詰まっている。同じように、「心の引き出し」に記憶された体験を整理する。これが文章力を育てる。文章力は、先天的な能力ではなく学習によって習得する後天的な能力である。

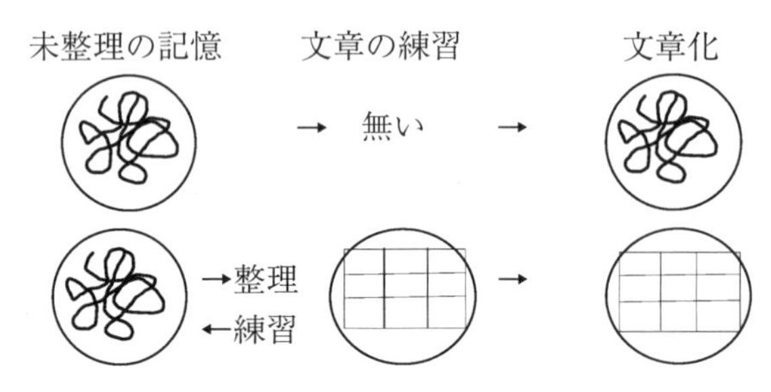

4）推敲(すいこう)を行なう

書き上げたすぐ後では、思考がオーバーヒートしているから、何日か間をおいてクールダウンしてから推敲する。推敲はもう一人の自分との対話である。「なぜ、どうして」と問いかける。そして「……である」と答える。

(1)　レポート・論文は常体文（である調）で統一する。「です。ます」があったら常体文（である）に訂正する。敬体文（です。ます）

は緊張感と集中力が不足した証拠である。

(2)　1文は40字程度の長さにする。中止法（「……し、……し、」「……が、……が、」）をやめる。「……が……」は順接でも逆接でも使えるので、意味が曖昧になる。「……し、……たり、……が、……ので、……また、……した」などの長文は分割する。「……こと……こと」「……のため…ため」「……のである」「……からである」の繰り返しを避ける。

推敲のポイント

1. 常体文
2. 1文は40字程度
3. 接続詞
4. 主語
5. 修飾語
6. 段落
7. 繰り返し

(3)　短文を書き、適切な接続詞で連結する。文章はレンガで建物を立てることに似ている。大きな石（長文）は重くて動かせない。1主語に1述語が対応している短い文がわかりやすい。

(4)　主語と述語を明らかに書く。主語は省略しない。日本人は無意識的に主語を省略する習慣がある。論文は自己主張でもあるから、誰が何をしたのか、何をしなかったのかを明らかにする。

(5)　名詞を修飾する形容詞や、動詞を修飾する副詞は少なくする。修飾語のないシンプルが最良（Simple is best）である。

(6)　段落の長さは形式的に決定できないが、2,000字以上のレポートでは300字くらいが読みやすい。

(7)　文章には、一度使った単語や言い回しを二度繰り返さないという文章上の美意識がある。別な言葉で言い換える工夫をする。例：違和感を感じる→違和感を抱く。言葉や言動→言葉や行動。

(8)　国語辞典・漢和辞典・電子辞書は活用できる良い道具である。『看護用語辞典』も手元に置いて専門用語を確認する。

(9)　学ぶは「真似（まね）ぶ」が語源だと言われる。まず良いものから学ぶ。

やがて、独創的な自分の作品が書けるようになるだろう。

(10) 消しゴムのカスを机から払い落とす行為は、他者の立場から見ると考え直す必要がある。書いて消す作業は思考や生き方の修正に似ている。書き直された文章は新しい道を示すだろう。

Note 接続詞をうまく利用しよう

順接………だから　それで　そこで　ゆえに　したがって

逆接………しかし　ところが　けれども　にもかかわらず

累加並立…さらに　しかも　それから　なお　また　および

選択………それとも　あるいは　または　もしくは

説明補足…なぜなら　すなわち　つまり　ただし

話題転換…ところで　さて　では

(一般の文書は全て平仮名で書く。ただし、2010年の「内閣告示」によると法律と公文書のみ「及び、並びに、又は、若しくは」の4語は漢字で書くとされた)

練習課題

1．他者の立場からの自己考察。

(1段目は、「○○から見た自分について考察する」と書き始める。そして「私は“……”と言われたことがある」と続ける。その場面や内容を対話するように書く。2段目は、問題点や反省点を分析する。3段目は改善点を明らかにする。キーワードの「分析」を使用する。前書きと後書きを付ける。
前書き例：「このレポートは、友人から見た自分を考察し、問題点と改善点について考察してある」。
後書き例：「今まで対人関係に悩んでいたが、それを改善する方法が見つかった」。)

5章 「私の看護観」の書き方

看護観は、ある個人が自分の体験を整理分析し理論化し先駆者の理論と関係付けて書いたものである。看護観は漠然とした概念である。この中から看護観の範囲を限定する必要がある。「私はこれが好き」と、波打ち際の砂礫の中からきれいな小石を見つけ出すようなことに似ている。例えば、カゼを引いて寝込んで世話を受けた体験から、「見守る看護」という看護観を書く。看護観は体験から創り出される。

子どもは親に育てられ、「受身」の立場で成長する。これに対し、親の立場は「能動」である。学生がやがて看護師になると、受身（〜〜られる）から能動（〜〜する）の立場になる。だから、看護観は能動（援助する。与える。教える）の立場で書く。

1．全体の構成の仕方（題・第1文・体験・引用文・看護師の役割）

1）題の付け方（題は本題と副題を付ける）

例：私の看護観（傾聴する看護）

患者に提供する看護を題にする。看護を必要とする人は患者であるから、看護師がどのような看護を提供するかという視点で題を設定する。看護は8分野あるから、それぞれに最低一つずつ書ける。

(1) 副題の例

母性看護：母性をはぐくむ看護　　母乳育児を確立する看護
小児看護：遊びを取り入れた看護　　精神発達を尊重した看護
成人看護：個別性を尊重した看護。家族を含めて行なう看護
精神看護：健康な側面に目を向けた看護。傾聴する看護

老年看護：潜在能力を生かした看護。自尊心を尊重した看護
在宅看護：その人らしさを尊重した看護。生活の質を高める看護
災害看護：計画・備蓄・訓練によって備える看護。
国際看護：国際貢献する看護。異文化に配慮する看護
その他

・温かくかかわる看護　・患者の人生に寄り添う看護
・命を尊重する看護　・思いを共有する看護
・見守る看護　・共感する看護　・患者が存在価値を見出す看護
・自立を支える看護　・患者が持っている能力を引き出す看護
・信頼関係を大切にする看護　・共有する時間を大切にする看護
・側にいる看護　・心を支える看護
・手当ての温もりを伝える看護　・その人らしさを大切にした看護
・育児の意欲を高める看護　・必要としていることを提供する看護

これらの看護観は、患者の行動に変容を促す作用がある。

(2) 「～～しない看護」という否定的表現を避ける

「～～しない看護」という題は、「何をどうするのか」という肯定目標が欠けているので不完全な表現である。次のように書き換える。
「患者を寝たきりにさせない看護」→「患者の可能性を引き出す看護」

(3) 「笑顔で接する看護」は避ける

これは「患者がどうなってほしいか」という視点がなく、押し付け看護の傾向がある。患者の緊急時（呼吸困難）に看護師に必要な能力は、看護の「知識・判断・技術」である。笑顔は不要である。笑顔が失敗となったケースもある。癌で余命を知った患者は心の整理がつかないでいた。ある看護師は、「なんで笑っていられるんだ。出て行け」と叱られた。笑顔の優先順位はかなり低い。慢性病の患者には「笑顔を引き出す看護」とすれば、良い看護観である。そのためには、知識と技術とそして温かい思いやりが必要である。

(4) 題を見ただけで内容がわかるように工夫する

「看護で大切なこと」→「食事・排泄・清潔の援助」

2）書き出し（全体の要約）

第1段落の第1文は、「私の看護観は、……する看護である」と書き出す。このように主テーマから書き始める。そして、60字ほどこれに説明を加える。こうすれば読み手は「題」か「冒頭文」を読むだけで、どのような看護観について述べてあるかがわかる。

3）根拠となる体験を書く

第2段落以降は、題に書いた看護観の根拠となる複数の体験を書き綴る。家族や親などから受けた世話、看護一日体験、ボランティア活動、学校の保健室で受けた養護、受け持った患者の看護など、体験を綴って看護観に独創性を添える。書き詰まったら同様の看護観を書き足す。段落は要約・体験・先駆者・役割の5つほどにする。

4）先駆者の看護論と対比する

文字数が満ちてきたら、この看護観が誰の看護論に行き着くのかを述べる。ナイチンゲールは「環境を整えると患者の自然治癒力が働く」と述べている。こうして持論を補強する。こうすると、評価者は「この人はよく本を読んでいる人だ」と評価できる。文書で提出する場合は孫引きにせず、原著書から引用し出典を欄外に明記する（p.26）。試験会場で書く場合は出典を明記しなくても良い。

5）結論は「看護師の役割」について述べる

副題を使って結論を書く。「……ように環境を整えるのが看護師の役割である」と結ぶ。こうすると、第1文の「看護観」と、文章末の「看護師の役割」が調和して全体のまとまりが良くなる。

2．看護理論と看護体験

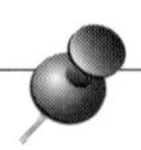

看護観：５要素

1. 本・副題：私の看護観（する看護）
2. 第１文　：私の看護観は～～である
3. 根拠　　：複数の体験
4. 引用　　：文献
5. 結論　　：看護師の役割

1）「看護観」は漠然とした概念

「～～観」とは「考え方、捉え方」の意味である。「看護観」といった場合には、看護の定義も範囲も明確ではなく、漠然とした概念である。看護の歴史や看護の理論、看護教育、理想の看護師像なども含まれる。

2）「看護」は漠然とした概念

看護を狭く考えると、看護は有資格の看護師が患者へ提供する療養上の世話である。広く考えると、無資格者による育児や緊急時の人工呼吸も看護である。看護の方法は「援助」である。すると「環境を整える。人間関係のプロセス。セルフ・ケアの自立。苦難の意味づけなど」様々な方法が考えられる。看護の対象は、人間（病人、ケガ人、妊婦、健康な人、障害のある人、子ども、老人）、地域社会、自然環境、政策などである。

3）帰納法的思考と演繹（えんえき）法的思考による看護理論

「看護」を帰納的に考えると「看護とは看護師が非看護師を援助することである」と一つの理論に収束してしまう。反対にこれを演繹していけば「様々な看護理論」が現れる[11]。

F・ナイチンゲール　：空気、清潔さなど環境を整える
V・A・ヘンダーソン：人間の基本的欲求の不足を手助けする
D・E・オレム　　　：セルフケア。自分で健康管理するように助ける
S・C・ロイ　　　　：適応を促す援助
H・E・ペプロー　　：看護師―患者関係は対人的なプロセス
I・J・オーランド　：患者がニードを満たすために援助する

E・ウィーデンバック：援助を求めるニードを持つ個人を援助する
J・トラベルビー　　：患者の苦難の意味付けを援助する
F・G・アブデラ　　：患者中心の看護
P・ベナー　　　　　：気遣いの看護
I・M・キング　　　：目標を達成する看護
M・E・ロジャース　：人間を統一体として看護する
M・A・ニューマン　：患者と共に、看護師も成長する
L・E・ホール　　　：ケア（世話）・コア（患者中心）・キュア（医療）

4）「私の体験」と「私の看護観」

看護学は実践科学の一つである。だから看護観は体験を根拠にして書く。「私の看護観」の根拠は「私の体験」である。「私の看護観」を書く作業の前に、看護観の源となる体験が必要である。

例えば実習の体験でも看護観が書ける。実習で半身麻痺の患者を受け持った。健康を取り戻すことはできないから回復は看護の目的ではない。病気や苦難は、それはそれとして受け入れざるを得ない。では、質の高い人生を送ることは何か。この苦しみには何か意味があるに違いない。苦しみに意味を見つけ出すことである。そうすれば苦しみを克服できる。「私の看護観は苦難の意味付けである」となる。苦難の意味はいろいろあるが、「病気をして同じような苦しみにある人の気持ちがわかるようになった。苦しみにある人を支えることができる」というのが一般的である。

「……病気や苦難に立ち向かえるように……体験の中に意味を見つけ出すように……援助する」。この考えはトラベルビーの考えである。自分の体験がトラベルビーの理論と繋（つな）がる。それは遡って、V・E・フランクルの理論である（フランクル『夜と霧』――ドイツ強制収容所の体験記録――みすず書房）。

「私の体験」を「書く」「分析する」「理論化する」の作業を行なう。

次に同じテーマを研究した先駆者の研究を調べる。現在では研究がほとんどし尽くされているから、大抵は誰かの研究した理論に行き着く。

もしも、抽象化した「私の看護理論」が、どの看護理論とも結びつくものがないとしたら、それは世界に先がけて新しい看護理論を発見したことになる。その人は新しい看護理論の提唱者として永久に文献にも教科書にも名前が載ることになる。

看護観のレポートを求めると、稀に、自分の体験を書かずに論理だけを初めから終わりまで書く学生がいる。これではオリジナリティー（独創性）がない。看護学は、理論科学ではなく、いかなる行為をしたかを研究する実践科学であるから、看護観には自分自身の行為すなわち体験を書く必要がある。

3．書き手中心の構成と読み手中心の構成を調和させる

1）主テーマ、結論から書き出す

看護観を書く場合、初めに結論を置くと全体の文字数の調節がしやすくなる。冒頭に主テーマを置いてあるから、根拠となる様々な体験を付け加えることができる。50分と時間が制限され、文字数を指定された場合、後半で細部を付け加えて空白を埋める。おわりに看護師の役割を述べて結論とする。

2）主テーマ、結論を空欄にしておいて、後で書き込む

看護観の書き出しで、題と第1文が思いつかない場合には取り敢えず、ここを空欄にしておく。まず、体験から書き出す。すると次第に主テーマがはっきりしてくる。その後で文中の言葉を使って題と第1文を書き込む。このようにして、結論が冒頭に来

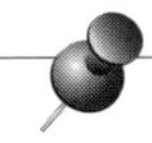

- 文章はガイド役
- まず目的地を
- 迷子を防ぐ

る構成に仕上げる。

結論が後にくる起承転結で書く文章は、書き手中心の構成である。読み手は最後まで全部読まなければ結論がわからない。課題論文では、採点者は減点評価する可能性がある。

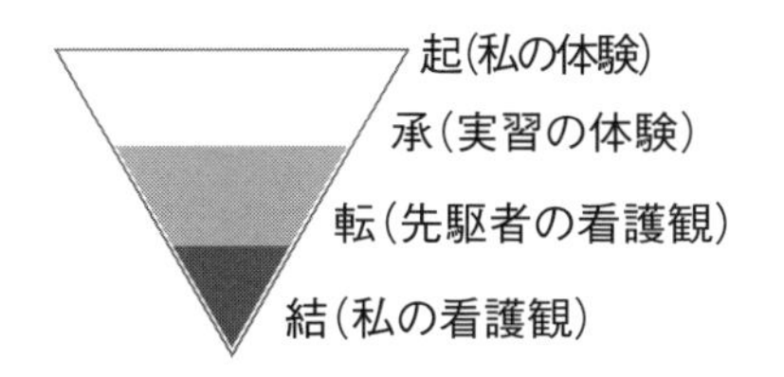

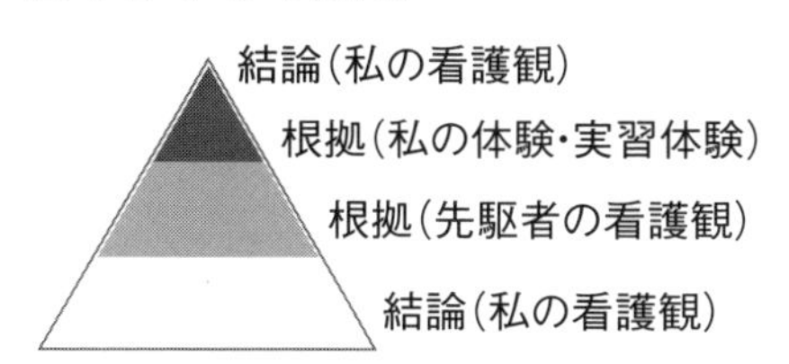

3）話題転換の見出しを付ける

話題が変わったら「次に……について述べる」など見出しを付ける。すると、読み手にも書き手にもわかりやすくなる。

4）迷子の文章（～～なりたい。を学んだ）を避ける

初めに結論を置かずに書き進めると、「こんな看護師になりたい」や「看護とは……であることを学んだ」に行き着いてしまうことがある。どちらも看護観と言えるものではない。「……なりたい」では看護が何もできない状態である。「……学んだ」では学習の結果だけなので、患者にどんな看護を提供できるのかがわからない。これらは、ガイド自身が行き先を見失い迷子になっている。迷子の文章は避ける。文章を書くことはガイド役と同じであるから、初めに目的地を約束して書き出す。

5）字数が足りない場合

「人生に寄り添う看護」をテーマに書いたが、規定の字数に届かないこともある。そういう場合は「筆者には、見守る看護という看護観もある」と、別のテーマで書き足す方法もある。「私の看護観」は一つではなく複数ある。だから私の好きな看護論は複数書くこと

ができる。副題には最も好きな「私の看護論」を書く。看護には、母性・小児・成人・精神・老年・在宅・災害・国際の８分野がある。それぞれに一つずつの看護観を書くと、最低でも八つの看護観が書ける。こう考えると、納得できる看護観を書くには１分野に２枚として、原稿用紙 16 枚 6,400 字以上必要である。

6）楽しい思い出を残せるように書く

文章を書く作業は、ガイドが旅人達を引率して行く旅に似ている。文章を書く、読むという旅には２種類ある。一つは、ガイドが目的地を説明せずに出発する旅である。もう一つはガイドが目的地を説明して出発する旅である。目的地が明確であれば、どこで何をしてと、旅人達は旅の計画が立てられる。段落の冒頭にも「見出し」が書いてあると読者はわかりやすい。

ある学生のレポートに「原稿用紙といえば、反省文しか思い出せない」とあった。筆者は「子ども達の心に楽しい思い出をいっぱいつくる教育」という教育観を持っている。だから、文章を書くことによって心が癒される体験を期待している。人は旅の楽しい思い出をみやげ話にする。「私の看護観」を書く人も読む人も「楽しい思い出」を残せるように書く。

4．理想は看護理論

筆者は「私の看護観」に「理想の看護師像」をテーマにしない方が良いと考えている。「一塊のパンにも思想がある」という諺がある。原料、塩の量、こね具合、発酵時間、焼き加減など、一塊のパンと言えどもパン作りには思想がある。佛教大学の社会福祉学の硯川教授は「オムツをひとつ交換することにも、まず理論が先にある必要がある」と、理論の重要さを強調していた。寝たきり患者の場合、自力排泄が可能でもオムツ着用の場合、オムツ交換の意味は人件費の削減である。良い先生が良い教育を行なうのではない。良い理論を持った教師が良い教育を行なうのである。「常に前進する者だけが、教える資格がある」と玉川大学の通信教育でスクーリングに行った時に聞いた。

同じように、良い看護師が良い看護を行なうのではない。良い理論を持った看護師が良い看護を実践する。良い看護は看護師の冷静な頭脳と温かい心、熟練した手によって提供される。head（頭）、heart（胸）、hand（手）の3Hの概念はスイスの教育者ペスタロッチが1826年『白鳥の歌』[12]で書いている「基礎陶冶（とうや）の理念」である。人間の三つの根本能力を発展させ、人間を全体へと完成することが目標である。知識･心･手は調和（harmony）させる必要がある。

これらの考察から、理想の看護師像よりも、理想の看護理論が優先されると言える。また、看護観が「ない」とか「見つからない」という考え方は看護学を学ぶ姿勢としては消極的である。看護観は、体験の中から立てた仮説を検証し、理論として積極的に創り出すものである。看護観は体験と理論の往復から究められる。

5．例文（筆者の講義を受けた学生の作品）

私の看護観（患者と家族に寄り添う看護）

社会医療法人　畿内会　岡波看護専門学校（三重県）学生

私の看護観は患者と家族に寄り添う看護である。看護師は、トラベルビーが述べているように、患者だけではなくその家族も看護の対象者として関わる。私は祖父の看取りを体験したので、それを以下に述べる。

祖父がガンで亡くなった。祖父の死が私にとって初めての身内の死だった。祖父はガンを患い、入退院を繰り返していたが、全身にガンが及んだ。延命治療を望まなかった祖父は自宅で過ごすようになった。家族は、介護や薬のことなど何をどうすれば良いのかが分からずに困惑していた。そんな中、祖父を担当してくださった看護師はいつも親身に祖父や私達に接していた。……

訪問看護を利用して3か月が経った頃、祖父の身体は日々弱っていた。ご飯を食べることや会話をすることも難しくなり、私は、容態が変わっていく祖父をみるのが怖かった。骨が見えるまで身体は痩せ細っていた。……

私は祖父がもうすぐ死んでしまうという悲しい気持ちで泣き崩れてしまった。そんな中、その看護師は「おじいちゃんの耳は最後まではっきり聞こえるの。だからおじいちゃんに話しかけてあげて」と言った。私は祖父の手を握り話しかけることができた。「おじいちゃん、育ててくれてありがとう」「遊んでくれてありがとう」「また会おうね」。お別れの言葉を言ったとたん、祖父は涙を流して息を引き取った。私にとって忘れられない看取りとなった。

命を救うことだけが看護ではない。その人らしい生き方を尊重し、その人に合わせた援助をすること、患者の死を家族が看取れるように支えることも看護師の重要な役割である。もし、その看護師がいなければ私はきちんとしたお別れができなかったかもしれない。私は今でも感謝の気持ちでいっぱいである。私は祖父を担当していただいた看護師のような患者や家族思いの看護師を目指している。また、人の誕生から最期まで携われる看護を理想としている。

第7回「忘れられない看護」受賞作品　全国看護学生作文コンクール
NPO 法人国際看護支援センターより

練習課題

1．私の看護観

1時間で原稿用紙2枚（800字）。本題・副題・第1文・体験・看護師の役割などで構成する。就職面接や研修会への論文テストに出題されることがある。看護の8分野で最低一つずつ答えることができるように用意する。（4章までのような前書きと後書きは不要です）

6章 「ケーススタディ」の書き方

看護のケーススタディ case study（事例研究）は、傷病者や褥婦などの生活上の問題解決のために、どんな援助が有効かを研究するものである。learn は「学ぶ。習得する」という結果的意味を表す。これに対して、スタディ study は「結果を得るために研究する」という過程的意味がある。case study は「事例を学ぶ」のではなく、事例（case）の問題解決を目的にした研究（study）である。

問題解決には、私的な問題解決と公的な問題解決がある。例えば、授業を欠席した場合に、クラスメイトから聞いてその分を補うのは私的な問題解決である。本章では、公的な問題、すなわち患者の問題を解決する方法を研究する。そしてそれを文章化する。他者の問題解決では、高尚な倫理と責任が求められる（善意・無悪意・誠実・公正・真実・守秘)。

また、事例研究は、患者ができないことをできるようにすること、すなわち、患者に行動の変容を求めるものである。しかし、患者はそれまでの生きてきた経験があるので、変化、新しい方法や習慣を受け入れることは困難である。例を挙げる。

①受容：病気、障害、死、新知識、新技術

②修正：誤知識、誤習慣

③行動の変容：喫煙、飲酒、薬物、スマホ、ゲーム

④意欲の引き出し：リハビリテーション、生きる意欲、自己管理能力の向上、自分の力の信頼、苦難の意味の発見、向上心

だから、看護師は、真実、純粋、(現在の自分となりたい未来の自分の)自己一致、透明（自己開示)、相手の人の感情を内側から理解する感受

性、人間愛を必要とする。

1．研究方法を選択

科学の原理や法則を探究する方法として、帰納法と演繹法がある。

帰納法では一つひとつの具体的な事実を総合し、それから一般的な原理または法則を導き出す。看護学では、一人の患者の具体的な事実を総合し、それから看護（援助）の一般的な原理を導き出す。

演繹法は一般的原理から特殊原理や事実を推論する。意味を推し広げて述べる。看護学では一般的な看護理論から特殊な看護理論を導く。

研究論文を書く場合にはどちらかの方法が用いられる。学生の実習では、ある患者を受け持って研究するから帰納法が一般的である。オレムの看護理論（p.54 参照）を用いた研究方法は演繹法である。ある看護理論を用いて、その理論を適用しただけの研究は模倣したに過ぎないから論文とはならない。新しい特殊な理論を導いた時に初めて研究論文となる。以下、帰納法の書き方について述べる。

看護研究には、事例研究、調査研究、実験研究、理論研究、技術研究、歴史研究、法令研究、倫理研究、文献研究などがある。調査研究の場合には統計学的に信頼可能な最低の標本数（100 例程）を確保する必要がある。学力調査など本格的な学術論文では、回答者の嘘つき率や主観的な判断という誤差を排除して正確さを期するために、数万人を標本数として調査を行なう。

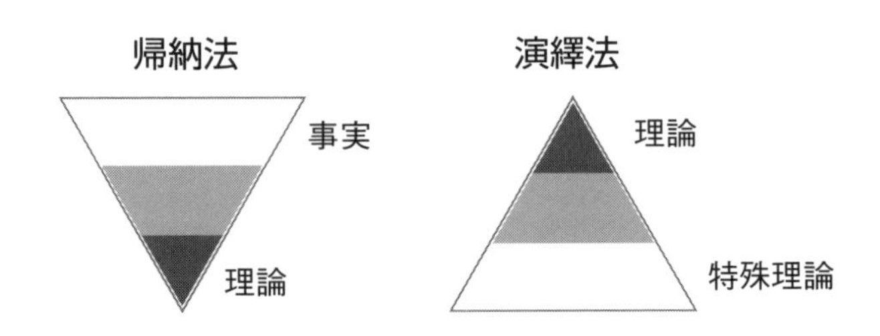

2. 本題と副題の構成

1）いつ書くか

まず本題を決めてから本論を書き上げる。その後、本題が内容と一致しているかを検討して、必要があれば修正する。

2）本題と副題をどう書くか

看護の事例研究は「ある患者の看護のあり方はいかにあるべきか」と理論を探す実践研究である。だから本題では、この研究テーマが表れるように書く。また本題には副題を付ける。

①本題の書き方（研究対象の範囲を限定する）

本題は「……のある～～患者の看護のあり方」と書く。「看護のあり方」とだけ書いたのでは範囲が広過ぎて何の看護かわからない。そこで疾患名を加える。例えば「統合失調症患者の看護のあり方」と書くと、研究範囲が「精神科看護」だとわかる。しかし、これでもまだ範囲は広過ぎる。そこで受け持った患者の問題点に言及し、範囲をもっと狭める。「自閉傾向のある統合失調症患者の看護のあり方」とすると、筆者自身にも読者にも研究テーマが明らかになる。（註：2003年から、精神分裂病は統合失調症に変更された）

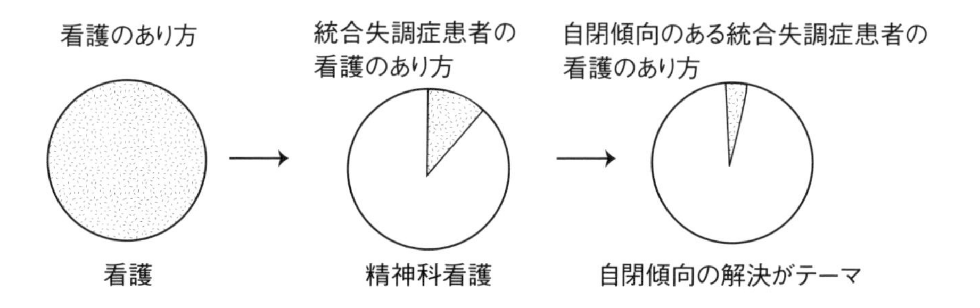

この場合、患者の問題解決が研究の中心である。こうして患者中心の事例研究にする。

②副題の書き方（問題解決のために行なった援助について限定する）

本題で解決する問題を限定したと同じく、副題では援助の範囲を「……の援助を行なって」と限定する。上記の本題であれば「自己表現を支える援助を行なって」とする。こう書けば看護学生がどんな援助を行なったかが明らかになる。

本題では「患者と問題点」、副題では「解決の援助方法」の範囲を限定して明らかにする。すると読者は本題と副題を読むことで、筆者が何を訴えたいのかがわかる。筆者にも読者にも内容の全体がわかるような本題と副題を付ける工夫をする。

③「……学んだこと」を使うことの問題

本題や副題には「学んだこと」を使わない。この主語は「私」なので主観的な記述になる。「リハビリ意欲のないリウマチ患者の看護を通して学んだこと」という題では、看護学生の主観的記述であると同時に、看護学生中心の研究である。研究論文は客観的な論述にする必要がある。

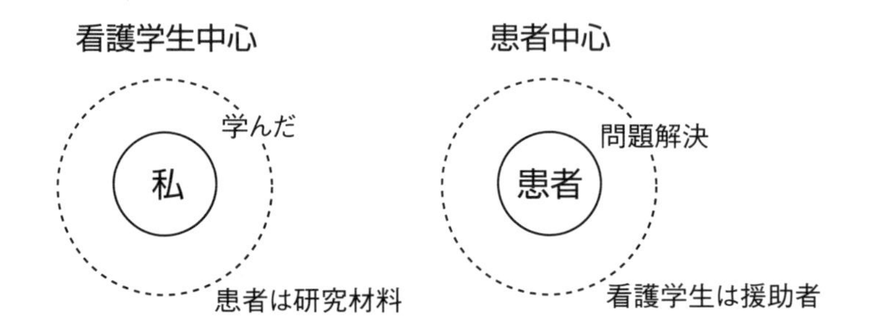

④看護学生中心の研究にしないための注意

次の例は「患者を研究材料にした看護学生中心の研究」と誤解されやすい。看護学生中心の研究では目的が患者の問題解決ではなく、技術や理論になる。

本題：残存機能を生かす援助技術の研究

（看護学生の研究が主題）

副題：――リハビリ意欲の少ないリウマチ患者を通して――

（患者は研究材料となる）

これを①と②の方法で書き替えると患者中心の事例研究となる。

本題：リハビリ意欲の少ないリウマチ患者の看護のあり方

（患者の問題解決が主題）

副題：――残存機能を生かした援助を行なって――

（看護学生は援助者となる）

筆者は重症筋無力症の治療で大学病院に入院したことがある。大学病院は医師養成機関である。ベッドには毎日医学生達が訪れる。病歴や症状の問診をしたり、筋力を測定したり、眼球の動きを調べたりする。自分と同じ重症筋無力症の患者を診察した時に正しく診断できるようになってほしいと考えているから、筆者は医学生の診察には好意を持っている。しかし、医学生の診察は「自分のレポート作成」が第一目的だった。問診の要点からは「患者の問題点（複視とか眼瞼下垂とか四肢筋の脱力）を何とか解決したい」という意図がないと感じた。医学生にこの視点がないから、筆者は「研究材料にされた」という印象が残った。

医師や看護師になることが第一目的では良くない。医学や看護学を学ぶのは人の助けとなり心の支えとなるためである。

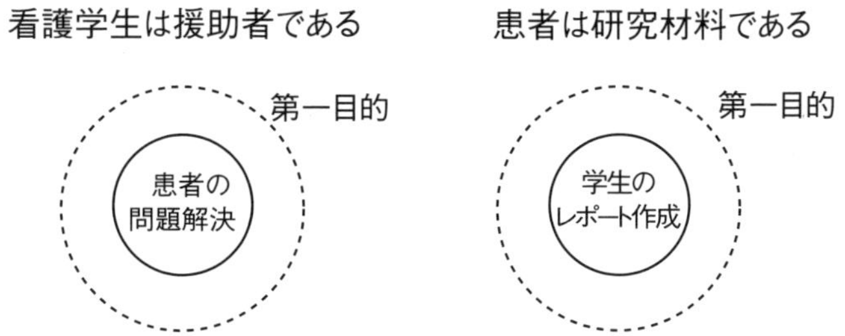

看護学生は援助者である

第一目的

患者の問題解決

患者は研究材料である

第一目的

学生のレポート作成

⑤本題では疾患名を看護の対象としない。

例：パーキンソン病の看護→パーキンソン病患者の看護。

患者を看護するのである。「パーキンソン病」は看護できない。

⑥本題（テーマ）と副題（サブテーマ）の例

題を見ただけで内容が想像でき、読んでみたいと思えるように工夫する。

例１：プログラム参加意欲のない統合失調症患者の看護
——健康な側面に働きかける援助を行なって——

例２：ベッド上排泄が行なわれている人工骨頭置換術を受けた患者の看護——日常生活動作拡大に向けた援助を行なって——

例３：筋力低下のある脳性麻痺児の看護
——遊びを取り入れた援助を行なって——

例４：脳梗塞で発語と嚥下障害、両側麻痺のある患者の看護
——その人らしく日常生活が送れるような援助を行なって——

例５：飲酒が原因の急性膵炎の患者の看護
——初期患者教育を試みて——

これらの題は、「……患者の問題を解決する方法の研究——～～の援助を行なって——」のように書くこともできる。

3.「はじめに」に全体の要約を書く

「はじめに」は、ここを読めばどんなことが書いてあるかわかるように、全体を短く要約したものを書く。

1）いつ書くか

本書では、先に「はじめに」を書いて、本論を展開し、本論と合わなくなったら、「はじめに」を修正する方法を勧めている。

2）何を書くか

「はじめに」は500字程度で全体の要約を簡潔にまとめる。以下

- 序論は目的
- 本論は患者と援助と結果
- 結論は援助の有効性

この約束に従って書き進める。「はじめに」には次の5点が必要である。

序論 ① 研究の動機や目的

本論 ②受け持った患者の紹介（患者の疾病と問題）

③ どんな看護・援助を行なったか（患者が到達する看護目標と、看護学生の援助目標が前提にある）

④ その結果、患者にどんな良い結果がもたらされたか。あるいはどんな悪い結果になったか。変化がなかったか。ここまで書けば、事例報告（ケースレポート）である。

結論 ⑤ 行なった援助の有効性が結論である。その結論が多くの事例に共通する普遍的な結論であれば、事例研究（ケーススタディ）となる[13)]。

結論の書き方は、患者の結果によって次の三つに分けられる。

良い結果→① 行なった援助は有効である。

悪い結果→② 行なった援助は無効である。目標と援助を修正する必要がある。

不変の結果→③ 行なった援助は、有効であるか無効であるかわからない。今後さらに追究を続ける必要がある。

「患者の問題を解決できる有効な援助は何か」と本題で提起した問題の答えとして、ここで結論を述べる。こうして「本題」と「はじめに」が論理的に繋（つな）がる。さらに、この「はじめに」は次の「本論」に繋がる。こうして全体が一つのまとまりとなる。

本題と副題←→「はじめに」の結論←→本論の結論

結論では、まず行なった援助の有効性を言及する。自分の援助の有効性を論じない仮説のまま自分の援助を発展させて、看護理論にまで広げたものがある。これでは導き出した看護理論の根拠がない。必ず有効性を論じる。これが次の理論の根拠となる。

学生の場合は、自分の援助の有効性を論じただけでも結論になる。理論まで広げた結論にした場合には、既に誰かが研究済みのテーマであることが多いので、研究者を紹介する必要がある。これがないと不勉強を暴露することになる。「独創的」「開拓的」な研究が研究として認められる。

この結論の書き方は、決まった文の形はないので、それぞれ個人の好みで表現する。そこに結論を書く難しさがある。「……の効果がある」「～～は有効である」は基本的な表現である。その他、「……と言える」や「……のである」とも書ける。

3）結論の例（「援助は」が主語、「である」が述語である）

例1 プログラム参加への意欲が見られず、いつも静かに座っている統合失調症患者に対して、健康な側面に働きかける援助は新しい環境に慣れる方法として役立つと言える。

例2 高齢で術後7週間経過し、ベッド上で排泄している状態の患者でも日常生活動作拡大に向けての援助は効果がある。

例3 筋力低下のある脳性麻痺児には、今持っている能力にあった遊びを取り入れた援助が効果的である。

例4 自己表現を支える援助は、統合失調症のT氏に有効である。

例5 統合失調症で無為や自閉傾向のある患者に、看護学生が自己開示していくアプローチは有効であると言える。

4）「はじめに」の例

例1 プログラム参加意欲のない統合失調症患者の看護

——健康な側面に働きかける援助を行なって——

プログラム参加への意欲のない統合失調症患者に有効な援助

を研究課題に実習に臨んだ。今回筆者は、統合失調症で４年間の入院後、退院と同時に援護寮で生活しながらデイ・ケアセンターに通所して３週間になる49歳の男性（Ｓ氏）を受け持った。Ｓ氏は、ほとんど他のメンバーに話しかけることなくいつも静かに黙って座っているという感じだった。

そのため、不安や緊張がなく安心感を持って生活を送るという看護目標を設定した。そしてＳ氏の健康な側面に目を向けて援助を行なった。Ｓ氏は習字が得意だったので、筆者は教えてもらった。Ｓ氏は教えるという行為によって自尊心を高めていった。その結果、Ｓ氏はスポーツの時間や音楽の時間、また書道でも他のメンバーと会話での交流が見られるようになった。やがて新しい環境へ徐々に慣れていった。

これらを通して、プログラム参加への意欲が見られず、いつも静かに座っている統合失調症患者に対して、健康な側面に働きかける援助は、新しい環境に慣れる方法として役立つ（有効である）と言うことができる。

例２ ベッド上排泄が行なわれている人工骨頭置換術を受けた患者の看護――日常生活動作拡大に向けた援助を行なって――

オムツを着用しベッド上で排泄が行なわれている患者に日常生活動作拡大の援助は有効かどうかを研究テーマに選んで実習を行なった。筆者は今回、心機能障害を持ち、右大腿骨頸部内側骨折のため人工骨頭置換術を受け、術後７週間を経過している82歳の女性Ｎ氏を受け持った。受け持ち時、Ｎ氏の排泄はオムツ着用で行なわれていた。Ｎ氏は起立から歩行に向けてのリハビリテーションが開始されていた。筆者は、離床を促し、日常生活動作拡大に向けて援助を行なっていった。

その結果、N氏は車椅子へ移動して摂取するようになり、排泄も、昼間、車椅子で身体障害者用トイレに行き、夜間はポータブルトイレで排泄できるようになった。また起立から歩行器を使用しての歩行も6メートル程できるようになった。

以上のことから、高齢で術後7週間経過し、ベッド上で排泄している状態の患者でも日常生活動作拡大に向けての援助は効果があると言うことができる。その際、その人の持つ日常生活のリズムに合わせて援助していく働きかけが大切である。

例3 筋力低下のある脳性麻痺児の看護

——遊びを取り入れた援助を行なって——

脳性麻痺とは、何らかの脳の損傷が原因となって運動障害を残す疾患である。筆者は筋力低下のある小児にどんな援助が有効であるかをテーマに実習を行なった。

今回、脳性麻痺により四肢麻痺のある、8歳のK君を受け持った。脳性麻痺による運動障害や、それに伴う四肢の筋力の低下は、日常生活動作に様々な影響を及ぼしていた。そのため、少しでも筋力を増強できるような援助を考えた。K君は負けず嫌いで、遊ぶことが大好きであったので、一緒に大きいボールを使って遊んだ。その結果、K君は楽しく意欲的に四肢の運動を行なうことができた。

このことから、小児にとって今持っている能力に合わせた遊びを取り入れ、援助することが効果的であると言える。

例4 不安のあるターミナル期にある胃癌患者の看護

——心の支えとなる援助を行なって——

本研究の目的は、ターミナル期にある癌患者の不安を和らげる方法の探求である。筆者は、胃癌で肝臓に転移のあるターミナル（終末）期のT氏を受け持った。T氏は、心窩部痛、嘔気、嘔吐、胃重感を訴え、食事がほとんどできない状態にあった。症状の悪化に伴い、不安な言動が見られ、また家族と連絡がとれず寂しさを表出するようになった。

筆者は、T氏が嘔吐する時は側（そば）に付き添い、背部をさすり、声をかけた。不安や寂しさを表出した時には、T氏の側にいて手を握り「そばにいますよ。安心してください」と声をかけるように努めた。

その結果、T氏は「あんたの手はあったかいなあ。人の手はこんなにあったかくて安らぐもんなんやな。ありがとう」と言いながら、笑顔で手を握り返した。

ターミナル期にある患者の抱えている不安や寂しさに気付き、温かく優しい気持ちを持って患者に接する援助は、患者に安らぎを与え、心の支えになるのである。

例5 無為や自閉傾向のある統合失調症患者の看護
——看護学生が自己開示していくアプローチを試みて——

本研究は無為や自閉傾向のある患者にどんな援助方法が効果的かを確かめたものである。筆者は、統合失調症のA氏を受け持った。A氏は、筆者が自己紹介しても頷くだけで、会話は成立しなかった。そこで筆者は自己開示を試みてみた。まず、現在、レポートが書けるようになったことなど、学校での学びや自治会活動などについて話した。A氏は、筆者の話に対して、嫌がるそぶりはせず黙って聞いていた。筆者は、高校時代や中学時代、小学校時代の話も続けた。幼稚園時代のアルバムも見せながら自己開示を続けた。やがて、A氏は少しずつ自分のことを話すようになった。このことから、統合失調症で無為や自閉傾向のある患者に、看護学生が自己開示していくアプローチは有効であると言える。

5）「学んだので報告する」は正しくない

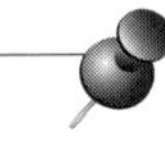

結論は

1. 学ぶものではない
2. 至るもの。得るものである

次の文は「結論」と「学んだ」と「報告する」が一つに繋がった構成である。

「……成長発達の段階にある小児にとって遊びは重要であることを学んだので報告する」

この文は「主語－述語」で分解すると、三つの文になる。

① 小児にとって遊びは重要である　② 私は学んだ

③ 私は報告する

「小児にとって遊びは重要である」は結論である。この結論は「患者・援助・結果」に続くものである。「学んだので報告する」に繋がるものではない。したがって、「小児にとって遊びは重要である。」と句点で区切る必要がある。そして、この文が前の説明に続くものであることを明らかにする。区切らずに一つの文であると、「……遊びは重要である」という結論は「学んだので報告する」に属するものとなる。

「結論」は「報告できる」ものであるが「学ぶもの」ではない。結論は「得るもの」「至るもの」である。事例研究は「結論だけ」を報告するものではない。もっと厳密に言えば、患者・援助・結果を含めて「結論に至った過程」を報告するものである。以上のことから、筆者は、事例研究では「を学んだので報告する」という記述は正しくないという結論に至った。

6）「はじめに」には引用文を入れない

「はじめに」は全体の要約を書く。この部分には他人の書いたものを引用することは避ける。「はじめに」は研究者の「顔」にあたる部分である。その顔に他人の引用文を入れると、研究者の顔が見えなくなってしまう。読者は引用された著者の研究論文を読まされることになる。これでは本来の研究者は何を研究しようとしているのか読者はわかりにくい。

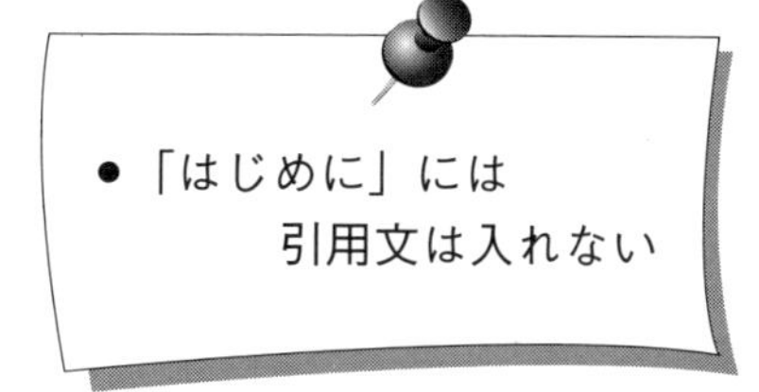

「はじめに」では自分の研究を述べる。そして本論を展開する。十分に書き進んだ所で、引用文を書き、自分の研究と対比する。こうすると自分の「顔」のある研究論文になる。

7）患者の結果の書き方に客観性を持たせる

援助を行なった患者の結果の評価には観察評価と測定評価がある。観察評価は看護学生が患者の行動の変化（例：ボタンかけができなかったのができるようになった）や言葉の変化（例：否定的な言葉が多かったのが、肯定的な言葉が出るようになったなど）を記録して評価する。測定評価は、歩けない患者が何メートル歩けるようになったなどである。

誰でも「患者の結果が良くなった」と書きたいものである。この評価をする際、意図的に事実と異なる評価や過大評価をするのは良くない。研究者には高潔な倫理が求められる。可能な限り正確に評価することが求められる。患者に対しては「温かい心」と「冷静な思考」で注意深く細かな観察を行ない、「技術の手」によって客観的な記録を書く。人物評価は問題点だけでなく、良い点を中心に書く。

しかし、人間評価は難しい。「世の中には、九十九の良い点があっても、一つの欠点のために許されない人間がいる。逆に九十九の粗があっても、一つの美点のために許される人がいる」[14]という言葉もある。まず自分自身を正しく評価できるよう努める。

8）「患者の結果が良くなかった」場合でも研究論文になる

なぜ良くない結果になったのかを検証して、看護目標や行なった援助の欠点を明らかにする。こうして、有効な看護目標や援助方法を探究する。失敗した研究にも価値がある。今後、同じ失敗を繰り返さないための教訓となるだろう。いなかる修正を加えるべきか、今後の参考になる。患者の結果に変化がなかった場合は「今後も研究を続ける必要がある」や「今後の課題である」などで結ぶ。

患者の結果がどうなったかわからない場合は、残念ながら研究論文としての価値は全くない。観察や記録の不充分さが原因として考えられる。

9）目標の設定と修正

目標を設定する場合には、まず診断評価を行なって、患者がわかることやわからないこと、できることやできないことを明らかにする。そして、長期目標と短期目標を作る。短期目標は「現実的、具体的、達成可能、測定可能、期限付き」で、少し努力すると実現するものにする。この時に、必ず患者と相談して目標を作る。

患者が自分で作った目標ならばやり遂げるだろう。患者が主体的に健康を管理するためには、患者から見て看護目標がわかりやすい記述にする。「看護師は患者に理解**させる**」という看護師中心の目標は作らない。患者を主語にした看護目標「患者は……ができる」を設定する。これを実現するために看護師が行なう目標も作る。

①看護師は、患者を主語にして看護目標を設定する
（患者は……できる）

②看護師は、看護目標を実現する援助目標を設定する
（看護師は……する）
③看護師は、患者の到達度を評価できる基準を作る
例：2：よくできた　1：少しできた　0：できなかった

看護援助が進んだら、目標と実践の妥当性を途中で評価する。時には設定した目標が患者の状態と合わなくなることがある。この場合は目標を修正する。目標を低くしたり高くしたりする。全く別な目標に変える必要も出てくる。「患者はどうして自分の計画通りにしてくれないのだろう」と無駄な悩みをしない。このようにして患者の結果が良いものになるように工夫する。

高齢患者で末期の場合、看取りになる可能性もある。考えられうる可能性を分析して対応する。昼休憩の間に逝ってしまったということもある。グループ実習の場合は交代で看護に当たるなどして最善を尽くす。

ところで、看護師と患者の関係は一方向のものではない。援助する者は援助する行為によって援助される。援助される者は援助される行為によって援助する関係である。「ありがとう」という患者の一言（ひとこと）によって励まされる看護師は多い。患者に教え、援助するだけが看護ではない。「患者から学ぶ」という視点を持つ実習を行なうならば、その多くは失敗を回避できる。そうすることによって看護師として成功する道が開かれる。

10）非指示的方法（来談者中心療法）を応用する

「実習で非指示的方法を知っていたなら失敗をしなくてもよかったのに」というレポートが目につく。これは「何かをしなければ」「援助しなければ」に駆られて、押しつけの看護をして、患者に拒否されてしまった例である。

学生は、受容という方法によって良い援助を提供できる。カウン

セリングの非指示的方法では、答えを与えたり、行動を指示したり、患者の考えを否定したりしない。患者が自分の力を信頼するように援助を行なう。

実習で「もう治らない」「死にたい」と言う患者の言葉に「そんなこと言わないでください。元気出してください」と患者の言葉を否定して励ましていると、患者は黙ってしまうか、援助を拒否してしまう。反対に、否定も励ましも指示もせず、「困りましたね。辛いですね」「治らないと思うようになったんですね」と共感し、また「心配事があるんですね」と聴くならば、患者が自分の力を信頼するようになるだろう。

4．その他の構成（詳しい説明は省略）

「はじめに」ではこれから論述することを約束した。この約束に沿って展開していく。

1）「受け持った患者の紹介」　→「Ⅰ．患者紹介」

2）どんな看護・援助を行なったか。　→「Ⅱ．看護の実際」

3）患者にどんな良い結果がもたらされたか。
あるいはどんな悪い結果になったか。　→「Ⅱ．看護の実際」

4）その看護･援助が多くの事例に共通する、普遍的な結論であるか。
→「Ⅲ．考察」の最後

1）「看護の実際」の段落構成

「Ⅱ.看護の実際」では「どんな看護・援助を行なったか」を順序に従ったり、あるいは内容別に整理して詳述する。横書1行40字の場合、7行（300字）～10行（400字）くらいを目途に改行し、段落分けする。2行や3行ほどで改行するのも、1,600字（40行）でも全く改行しないのも、段落分けが未整理である。書き始める前に、まず小見出しを作っていく。

(1) 実習１週目　(2) 実習２週目　(3) 実習３週目
(1) 食事について　(2) 排泄について　(3) 清潔について
(1) 不安に対する情報収集　(2) 不安の軽減・受容・共感　(3) 家族へのアプローチ

これが段落になる。字数が多くなったら、この中をさらに２段、３段落と分ける。段落分けには意味がある。段落分けが適切にできていれば論述が正しいことになる。不必要な内容を延々と述べるのを防ぐ。正しく段落分けされた論述は、初めの目的を達成する。

2）「考察」で先駆者の文献を引用して自説と対比する

他者の文献からの引用の目的は、先行研究を明らかにする、自説と対比する、自説の拠り所とするなどである。

3）全体の構成

はじめに（要約）
Ⅰ．患者と生活上の問題（看護目標と援助目標を含む）
Ⅱ．看護の実際
Ⅲ．結果（患者の生活上の問題点の改善度）
Ⅳ．考察（看護目標と援助目標、援助内容の妥当性）
Ⅴ．結論（行なった援助の有効性）
あとがき・謝辞

学生のレポートより“読むたびにアイデアが増える”

今までの文章構成では何を書いているのか自分でもわからず、文法上もデタラメであったと思われる。授業で得たものは数知れずあった。本書は、読むたびに自分の中でいろいろな文章構成のやり方やアイデアが増えていくという不思議な感覚を体験した。これは文章を書く面白さと大切さを学んだからだと思う。このテキストは何度も読み返す価値があると思った。

練習課題

1．文章を書く思いの変化（途中評価）。

（出題意図：１回目に書いたレポートを思い出す。１段目には、問題と最初に立てた目標を書く。２段目には、目標に何％くらい到達したか、途中評価を書く（授業の進度は1/3なので30％で合格）。３段目には、必要なら目標を修正し、実践方法を改善することなどを書く（前書きと後書きを付ける。p.14参照）。）

2．ケーススタディを書く思い（過去・現在・未来）。

（出題意図：今までどのように考えていたか。どのように変化したか。卒業時に書くケーススタディの目標を述べる（前書きと後書きを付ける）。）

3．本書の方法に倣（なら）った全体の要約（500字程度）

（出題意図：実際に書いてみることによって理解を深める。実習を行なった時のことを思い出して書く。この際に、事実でないことを事実であるかのようには書かない。事実と事実でないことは厳しく分ける。）

Memo

６章だけを参考にして書かれた論文は未完成である。論文を書く作業を料理作りに譬（たと）えると、味見がされていないし、隠し味も添えられていない状態である。看護学は、どんな行為をするかを研究する実践科学であるから、美的な行為や動機について整理する必要がある。料理は味見をして味を整えてから客に出す。このようにして論文を仕上げる。この作業は10章に書いてある。

7章 論文に使う用語の諸問題

医療の現場では、この業界だけで通用する「業界用語」（体位交換・熱発など）が日常的に使われている。業界用語は、業務を遂行する時だけに使用し、記録を書く場合には専門用語（体位変換・発熱など）を使用する。業界用語と専門用語は使い分ける。施設によっては「看護記録に使用禁止の略語や業界用語」と「使用できる用語」のマニュアルがある。「看護略語・用語辞典」も売られている。2005年から看護記録は原則開示となった。患者家族に好感を持たれる記録が期待される。下書きと推敲を行なってから用語を選択して文章を洗練する。

1．人名の表記

1）執筆者の人称は第三人称で書く。（第一人称：私。第二人称：あなた。第三人称：筆者、本学生、本実習生など）。これは自分を他者の立場に置いて考察することによって客観的な研究にするためである。自分のことを「著者」と書くのは間違いである。

2）文中に、本を書いた人の名をあげる場合に敬称は付けない。

　本を書いた人の名は呼び捨てで書く。（例：髙谷修はその著書の中で「……」と言っている。）ただし、謝辞を書く場合は、本論とは別なつけ足しなので、○○氏や△△先生などを使い、敬体文で丁寧に書く。

3）研究事例の患者だけに、敬意を表して「氏」を用いる。大人では「A氏」、子どもは「B児」などとする。話し言葉の敬称は「様」である。一方、書き言葉の敬称は「氏」である。

4）外国人の氏名の表記の仕方は三通りある。

①日本式表記の場合「中点を使い」、ファミリーネームが後に来る

例：「A・H・マズロー」「E・H・エリクソン」など

②「コンマを使い」、ファミリーネームが初めに来る方式

例：「マズロー，A. H.」「エリクソン，E. H.」

③個人名は Takaya, Osamu のようにその国の表記を尊重して書く

Florence Nightingale　F. Nightingale　Nightingale, F.

2．専門用語の使用上の注意点

1）標準用語、専門用語を使う。方言や俗語は使わない。

ただしカッコでくくった会話文「……言わはりました」はそのまま書く。自分で勝手に用語を作らない。流行語も使わない。「？」や「！」も使わない。紛らわしい言葉を使う場合は、「註」を設けて欄外で補足する。

- 表音文字：アルファベット
  変な意味が出ない
- 表意文字：漢字
  変な意味が出る

2）アルファベット文字は、表音文字だから短縮しても変な意味が出ない。短縮によって三つの効果を得ることができる。

①長い文字を短くすることによって、全体の文字数を減らす。

②長い言葉の繰り返しは読みにくい。読み手に読みやすくする。

③書き手の手間を省く。

3）漢字の熟語は短縮や省略を行なうと本来の意味とは違った、別の、しかも変な意味が出てくるものがある。「表意文字」がその理由である。「書き手の手間を省く」だけを理由に短縮していると専門性を否定することになる。事故やミスの原因になる。

4）変な意味が出る省略文字を使わない。

①体位交換を短縮して「体交」（体を交える）という変な意味のあ

る省略文字が使用されている。これは明らかに誤りである。体位を変換する「体位変換」が正しい。「体変」でも、「体に変化が生じた」ことになる。「体の向きを変える」という意味の「体向」や「体転」も使われている。これらは、褥瘡の予防や治療と安楽という体位変換の意味を失い、専門性を否定している。

②尿交は「尿取りパッド交換」の意味で使用されている。ポータブルトイレに溜まった尿を洗い流す意味にも使われている。ひと昔前の感覚では「尿器を交換する」だった。

③ムンテラはムント・テラピー（病状説明）というドイツ語である。現在、英語の informed consent（説明と同意）、informed choice（説明と選択）、informed decision（説明と意思決定）が使われている。医師は、患者への説明の後、同意を求めている。

看護記録に「ムンテラが行なわれた」と記述された。それを行なった医師が「私は同意も得ましたよ」と言った。その日以降、その病棟の看護記録からムンテラが消えた。

④熱発は「発熱」が正しい。広辞苑にも載っている程広く使われている。しかし熱発は正しくない。看護学の教科書にはない。時間短縮のメリットもない。発熱や平熱、低体温と記す。

⑤放治は「放射線治療」が正しい。放置という意味が出る。

⑥腹満は「腹部膨満」が正しい。

⑦緊急 OP は日本語で統一するという原則に従って「緊急オペ」「緊急手術」と書く。

⑧「段階が UP した」は日本語で統一するという原則に従って「段階がアップした」「段階があがった」と書く。

⑨ Pt は、日本語で統一するという原則に従って「患者」と書く。

⑩ Ns は、日本語で統一するという原則に従って「看護師」と書く（2002 年 3 月 1 日より、法改正により「看護婦」から「看護師」

に変更された)。看護師は「ナース」が使える。

⑪ Dr は「医師」または「ドクター」と書くのが正しい。Dr は英語の用法では敬称として人名に付ける時に使う。ただし医師とは限らない。哲学博士、化学博士など、無数にある。

三大誤語

- 体位交換→体位変換
- 中心静脈栄養→（静脈内高カロリー輸液／経静脈高栄養療法）
- 熱発→発熱

例：Dr. Johnson　ジョンソン博士（何の博士かわからない）

⑫「にて」「るも」は文語体の用語である。口語文では「にて→によって。で」、「るも→が」である。一般的に文語と漢語（「そもそも」など）と現代語を織り交ぜて使われている慣習がある。論文を書く時には現代語の口語体文で統一するという原則を守る。

⑬急患は、救急患者の略である。これは変な意味にならない。本来の意味もわかる。許される略語である。

5）論文を書くことは結婚式に参加するようなものである。略語を使うことはジーパンにＴシャツで参加するようなものである。結婚式には正装して出席する。論文を書く時も正式な専門用語を使う。

6）IVH は液体だから挿入できない。

「IVH 挿入部の消毒」を日本語にすると「静脈内高カロリー輸液挿入部の消毒」となる。輸液は挿入できないので論理的におかしな表現である。これは「IVH カテーテル挿入部の消毒」が正しい。

7）「認めた」の表現は要注意である。

看護師は安易に「認めた」と記述する傾向がある。次の例文で、「認めた」のは看護師や医師である。患者が認めたのではない。

患者は検査データより貧血を認めた。　→看護師は、認めた。

患者は排便を１日３回必ず認めていた。→看護師は、認めていた。
患者は肝臓への癌転移を認めた。　　　→医師は、認めた。

3．外国語を省略して頭文字を使う場合

1）日本語、英語、頭文字の３段階で書く。これが論理的な手続きである。ただし、この順番は前後しても良い。

①生命の質（quality of life 以下 QOL と略す）。life には生命の他、生涯、生活などの意味がある。

②日常生活動作（activity of daily living 以下 ADL と略す）。Activity には、動作のほか行動、活動、活気などの意味があるから、日本語の方が筆者の意図を適切に表現できる。

③静脈内高カロリー輸液または経静脈高栄養療法（intravenous hyperalimentaition 以下 IVH と略す）。IVH は、intraventricular hemorrhage（脳室内出血）の意味もある。何の説明もなく頭文字を使用すると、二通りの意味になる。

2）英語の頭文字を、カッコで表示しておくだけの場合は問題ない
集中治療病棟（ICU）、冠状動脈疾患集中治療病棟（CCU）など。
ICU は intensive care unit, CCU は coronary care unit である。
（HCU は hospice care unit として使用されている）。

4．表記の問題

1）カタカナで表記するもの

外国の人名（F・ナイチンゲール）、国名（アメリカ）、外来語（アルコール、ギャッチベッド、ギプス）

外国語を発音のまま書く時（レクリエーション、ベッド、データ）

擬態語（ニコニコ）擬声語（ザアザア、ピヨピヨ）など

2）単位の表記の仕方

論文の提出先の指定に従う。学生は教務が指定する方法で表記する。記号（cm, g）で書くのが一般的だが、カタカナで書く場合がある。

3）本文の中では記号ではなく言葉で書く

胸部Ｘ－Ｐの結果→Ｘ線写真。ＴＶを見る→テレビを見る。Ｄルームで→「デイルーム」の略なのか、ABC のＤなのかわからない。

4）自分で書いたものには責任を持つ

「患者紹介」の「受け持ち時の状態」の記述では検査データなど、自分で書いたものには責任を持ち、説明できる必要がある。そのために、欄外にそれらの補足説明をする。

例：CT：computed tomography コンピュータ断層撮影法
　　MRI：magnetic resonance imaging 磁気共鳴画像
　　PET：positron emission tomography 陽電子放射断層撮影法

5．避ける表現

1）「べき、最も、いちばん、絶対など」の断定した表現を避ける

唯一、絶対などはあり得ないので、謙虚な表現にとどめる。

「すべきである」　→「する必要がある」
「唯一の」　→「主な……の一つである」
「最も良い方法である」　→「大変に良い方法である」
「できるはずである」　→「できる可能性がある」
「しなければならない」　→「する必要がある」

2）曖昧な表現は避ける

「声かけ」は「声をかける」が正しい。これは専門用語ではなく、曖昧な言葉である。国語辞典にも載ってない。質問、かけ声、勧め、依頼、説明、意思伝達などの表現にも使用されている。しかし、語

りかけた内容が説明ならば「説明した」と書くのが適切である。

① 個人的な癖として無意識に使う。

② 職場でみんなが使っているから使う。

③ 患者への刺激を与える看護の一つの方法として使う。

もし「③」であるならば、「声をかける」が正しい。

3）疑問文で放置するのを避ける

疑問文で書いて放置すると主観的な主張で、独り善がりの論文になる。だから疑問文は避ける。どうしても使いたい場合は、疑問文のすぐ後にその解答を書く。疑問文で書くとカッコいいと考えるのは誤解である。「だろうか」は自信がない時に書く傾向がある。

4）「させる」も避ける

「理解させる。気づかせる」などの表現がある。「させる」は使役の意味を表す。これは別の言葉で表現すると「命令」である。理解するのは本人である。理解を命令することはできない。命令に従って理解するのでもない。「患者が理解できるように教える」が正しい。文部科学省の『小学校学習指導要領』に「……を考えさせる」との表現がある。これは暴力的表現であるという批判がある。

5）「してもらう」「やってあげる」も避ける

「患者に～～してもらった」という表現がある。これは、患者の行為によって看護師が利益を受けることである。論文ではこの表現は正しくない。「食べてもらった」という事実は、「看護師が介助した。患者が食べた」と、主語述語を二つに分けて書く。

筆者は良い「ケーススタディ」を書くための基礎を説明している。しかし、学生に「理解させる」ことはできない。筆者ができることは、説明だけである。学生が書き上げた「ケーススタディ」は、「書き上げてもらった」ものではない。理解する主体は学生である。「やってあげた」ではなく「援助した」と書く。

6）二重否定を避ける

二重否定は読者にとまどいを与える。「少なくない」「悪くはない」などはわかりにくいという理由で避ける。

7）患者を物扱いしない

「オペ出し」という言葉が看護の現場で使われている。「出し入れ」では人間を物扱いしている。階上に「上げる」や階下に「下ろす」「患者を回す」も物扱いである。「お連れする」が敬語である。

8）二重表現を避ける

「排便が出ていない」は二重表現である。これは「体外に出た便がオムツの中にある」という意味である。「排便がない」と書く。

9）「～～病を指摘された患者」は、医療者中心の書き方である

指摘という言葉は「間違いを指摘する」のように否定的に使うことが多い。「あなたの病気は間違っている」と、患者の病気を他人事（たにんごと）のように表現する言葉である。一方、「～～病を発症した患者を受け持った」と書けば「看護師は病人と共に病気に立ち向かう」という意味になる。これが患者の心に寄り添う看護である。

6．外国語の「誤訳」の問題

翻訳の際には細心の注意が必要である。

1）「介入」ではなく「介在」が適切

看護学ではinterveneの訳として「介入する」が使用されている。介入には干渉するという意味がある。「看護介入」といった場合に看護師が患者・家族に干渉するという意味が含まれる。医療法第1条4の2によれば「医療の担い手は医療を提供するに当たり、適切な説明を行い、医療を受ける者の理解を得るように努めなければならない」とされている。interveneには介在するという意味もある。患者・家族と病気の中間にあって調整するという意味の看護介在が

医療法に適っている。

2）alimentation の対訳としてカロリーは適切でないという指摘がある

intravenous hyperalimentation（IVH）の訳として静脈内高カロリー輸液が使われているが、「カロリーは熱量の単位、栄養価の単位だから訳として適切でない。エネルギーと訳した方が良い」という指摘がある。経静脈高栄養療法という訳がある。

3）体位交換の「交換」は changing position からの誤訳である

戦後、最初に訳した人が「体位交換」と誤訳した。そして看護学の教科書で使われて全国に広まった。やがて間違いに気づき「体位変換」と訂正されたが、看護記録は未（いま）だにそれが続いている。

4）コンプライアンス（「法令順守」？「服従」）

compliance は、公務員や労働者の「法令順守」として使用されている。しかし、これには「服従する」という意味がある。看護で「ノンコンプライアンス」を何の断りもなく使うと、「患者は看護師に不従順である」という意味になる。compliance は、看護学では「患者の応諾性」、医学では「呼吸器系の進展性」、物理学では「物質に力を加えた時の変形のしやすさ」の意味で使われている。

5）「対象」と「対象者」の誤用を避ける

看護学の書籍に「対象の眼を見る」とあった。教員は「対象を理解する」と使う。だから学生は実習で「今日担当する対象は……」と言い、「対象と会話した」と書く。「対象」（subject）は認識者が認識する全ての存在である。対象には、動植物、人、物、理論、その他全ての存在が含まれる。これらの「対象」にはペットの犬が含まれる。また、「対象者」には「奨学金や調査の対象者」など複数の意味がある。「看護を受ける対象者だけ」を意味しない。

「対象」を看護に限定した場合の「看護の対象」は、看護を受ける人、地域社会、自然環境、政策、看護師の健康が含まれる。これは人だけを意味しない。筆者は「看護の対象者」と呼ばれたら冷たい物扱いの感じを受ける。「対象」は抽象概念である。我々が、抽象概念を理解することは可能である。しかし、抽象概念に看護を提供したり、対話したりすることは不可能である。抽象概念が涙を流すこともあり得ない。これは譬えてみれば、空にかかる虹に看護を提供したり、虹が涙を流したりするようなものである。「看護を受ける人」を表すために用いている英語表現の the subject が概念的に誤りである。

ナイチンゲールは patient（患者）、アブデラ・ニューマン・ゴードンらは client（クライアント）を使っている[15)]。妊婦や産婦、健診を受ける人は患者ではない。「患者」では、看護を受ける人を全て表せない。「クライアント」ではカウンセリングを受ける人、弁護士への依頼人をも含んでしまう。英語も日本語も「看護を受ける人」だけを表す用語がない。

ところで「対象」の使用が許されるとすると、「対象様のお呼び出しを申し上げます」という院内放送がありそうなものだ。しかし、これは不適切語だと判断されているから聞かれることがない。

以上の考察から、筆者は「看護を受ける人」「医療を受ける人」という用語を勧めている。実習では、「患者」「ケガをした人」「褥婦」「患児」「検査を受ける人」などと「人」である表現を心がける。

練習課題

1. 論文や看護記録における専門用語の考察（前書きと後書きを付けること）

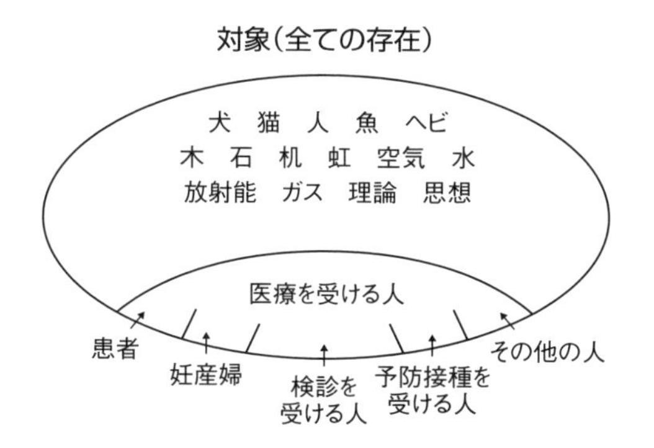

Note

外国語の頭文字で省略する場合に、3段階を使わなかったために起きた間違い

一般的に「中心静脈栄養＝IVH」と理解されている。しかし学問的には誤りである。「中心静脈栄養」は医事課の事務員が使う医療保険の専門用語である。

学問的にはIVH＝intravenous hyperalimentation＝静脈内高カロリー輸液または経静脈高栄養療法である。intra＝～内、venous＝静脈、hyper 高濃度の、alimentation＝栄養。したがって、論文の中で使用する場合は静脈内高カロリー輸液または経静脈高栄養療法（intravenous hyperalimentation 以下 IVH と略す）となる。

「学問的な IVH」と「医療保険の中心静脈栄養」は混用されている。

学問的にはCVH（central venous hyperalimentation）＝「中心静脈栄養」である。（しかし、CVHはあまり一般的ではない）

厚生省保険局医療課長通達による診療報酬の表記の仕方は、「静脈内高カロリー輸液」＝「中心静脈栄養」として算定するように指示しているので、これがIVH＝「中心静脈栄養」を暗示していることになる。

「昭和51年3月31日　保険発第19号厚生省保険局医療課長通知」最近改正平成4年3月7日保険発第17号

医学用語に「中心静脈」はいくつかある。肝臓内に中心静脈がある。中心静脈圧（central venous pressure＝CVP）という用語もある。「在宅中心静脈栄養療法」は治療方法の一つなので使用可能である。

8章 日本語の論理

（本章は『日本語の特質』[16] 金田一春彦　日本放送協会を参考にした。）

「日本語は劣った言語」と誤解する人がいる。明治時代に文部大臣をした森有禮（ありのり）（1847-1889）は、江戸時代末期に留学していたアメリカでWhitney教授に「日本語はあまりに貧弱な言語」[17] と手紙を書いた。日本語には哲学的で合理的な性質と母音の響きが美しいという特徴がある。本章では、日本語の良い性質を発見し、欠点を克服して読者にわかりやすく書き表す方法を研究する。

1. 日本語は哲学的である

哲学と訳されたギリシア語のphilosophiaは、フィリア（愛）とソフィア（知恵）で、知恵を愛するという意味である。日本語では人の物扱いを避け、人を尊重した表現をする。これは人を愛する知恵、哲学である。

1）日本語は生物と無生物を区別する

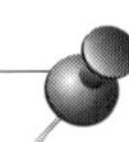

- 日本語は哲学的である
- 人格と物件を厳しく分ける
- 人格の尊厳を守る

日本語は存在を表す動詞「いる」と「ある」をやかましく区別する。金田一春彦は［服部四郎博士（東大の言語学の名誉教授）[18] が「たくさんの言語を調べてみたが、日本語以外にこの区別のあるものをまだ自分は知らない」と言っておられる］（『日本語の特質』p.202）と書いている。ただし、和歌山県の南部と千葉県の一部では、これを区別せず、「ある」と言うと金田一は書いている。

生きて活動するもの

「人が」「犬が」→「いる」「連れていく」「連れてくる」

活動しない普通の物

「机が」「木が」「マイクが」→「ある」「持っていく」「持ってくる」

（『日本語の特質』p.203）

そのために「人が→ある」は物扱いになる。

筆者がボランティアに行っていたある病棟でのことである。「ぼくたち寝たきりの子どもを『それを持って行って』と物扱いにされるのが嫌だ」と聞いたことがある。日本語は人を物扱いする危険性がある。つまり人格を否定することになる。

ヨーロッパ言語では男性名詞と女性名詞の区別を重視する。しかし、人と物の存在の動詞は区別しない。she, he, it の存在をあらわす動詞は is である。is は人にも物にも使われる。また、英語では「連れていく」も「持っていく」も take である。「連れてくる」と「持ってくる」は bring を使う。生き物と無生物を区別しない。ヨーロッパ言語では人を物扱いする。「彼」「彼女」の男性、女性の区別はあるのに、「彼ら」「彼女ら」の複数は they で同じである。これは生きていない物の複数「それら」の意味にも使う。

ドイツの哲学者カント（1724-1804）は物に対する人格を特に明確にした。「人間は物件ではない。したがってまた単に手段として利用され得るような何か或るものではなくて、彼のいっさいの行為において、いついかなる場合にも目的自体とみなさなければならない」[19)]。「最高目的といえば、それは道徳性の目的である」[20)]。

人格は物（手段）として見られる時に、危機が存在する。ヨーロッパ言語では、人格の物件化は明らかにならない。しかし、日本語では人格と物を分けて表現するので、人格の物件化の危機は大きい。介護施設のデイサービスへ車で送迎の際、「Aさんを拾ったら全員です」という言い方は、物扱いである。体転では、患者を物のように転がすことになる。「荷物は積む」「人は乗せる」という。「人員の輸送」や「救急搬送」は職業によっては使われる。人間（人格）を対象とした職業ではこの点で倫理的に配慮する必要がある。拾ったお年寄は、車から「捨てる」ことになる。「借りる」「使える」「餌をやる」「一匹」「ライン」「人材」（**人**的**材**料）などは自分よりも弱い立場にある人に対して使われる傾向がある。アメリカでは『It（それ）と呼ばれた子』[21]がベストセラーになった。彼は、David, my son, you, とは呼ばれなかった。「人の力（手）を借りる」とすればよいだろう。

2）日本語では人間の食べ物と獣や鳥の食べ物の言葉を区別する

日本語では、人間の食べ物は、食物・食料・食糧・料理・ごはん・めし・ご馳走などと言う。しかし、人間以外の生き物の食べ物には、人間と同じ言葉は使わない。厳しく区別する。さらに家畜とそうでないものの場合では言葉は異なる。家畜には「餌」や「飼料」を使う。人間の食物には「餌」や「飼料」は使わない。人間にとって「餌」は飼い馴らされた家畜と同等を意味し、人間を卑下する言葉である。ただし「ご馳走」は人間以外にも使うことがある。英語ではどちらも food である。

3）日本語では、物を数える場合にも生物・無生物を区別する

これは東南アジア的な性格である。人間を数える場合は「一人、二人……」、大きい獣は「一頭、二頭……」、小さい獣や虫は「一匹、二匹……」、鳥は「一羽、二羽……」、ざるそばや看板は「一枚、二

枚……」、鏡や碁盤、琴など「一面、二面……」、イカは「一ぱい、二はい、……」、ウサギは「一羽、二羽……」、蝶の専門家は蝶を「一頭、二頭……」と数える。

中国語はもっと複雑である。犬は「一条狗（イーテイヤオゴウ）、両条狗（リャンテイヤオゴウ）、……」と道と同じように数える。人間は「一箇人（イーコレン）、両箇人（リャンコレン）、……」と数える。三条手巾（サンテイヤオショウチン）はタオルのこと。三塊手巾（サンコワイショウチン）はハンカチのことである。（『日本語の特質』p.205）

2．日本語は合理的である

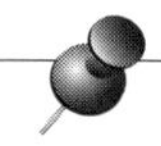

> 日本語は合理的である
> - 複数形
> - 時
> - 住所
> - 数詞

1）日本語の名詞の単数形と複数形は合理的である

日本語では名詞の数について、英語と比べて不完全のように言われる。ヨーロッパの言語では単数と複数を厳しく区別する。例：卵が一つは an egg。二つ以上は eggs。このように複数の時は s をつける。日本語は厳しくない。例:きょうは学生が大勢やって来た。これは「学生たち」と複数にしなくてもいい。「大勢」という言葉が複数を表しているから、「たち」をつけることを義務づける必要はない。論理的で便利である。

これに対して英語では、ある家に泥棒が何人か入った場合、「泥棒は……」と言う時に the thief or the thieves... と書く必要がある。表記がやっかいである。ドイツ語で『千夜一夜』は “tausent und eine nacht” と言う。nacht は単数である。元来「1001 の夜」だから複数にすべきである。tausent の次に「一つの」の eine があるので単数の形を使っている。これは論理的ではない。

2）時間・年月日の表記は、聞く場合に日本式の方がわかりやすい

これらはいずれも日本式の方が、聞く人にはわかりやすい。アメリカでも six forty five のように６時を先に言う習慣も出てきている。

	日本語：「大きい方から小さい方へ」	英語：「小さい方から大きい方へ」
時　刻	午前６時 45 分	forty-five past six o'clock a.m.
年月日	2017 年 1 月 15 日	January 15, 2017（アメリカ）
		fifteen January 2017（イギリス）
世　紀	紀元前５世紀	fifth century B．C．(紀元前)

３）住所の宛名・姓名・電話帳も日本式の方がわかりやすい

日本語：東京都杉並区松庵二丁目八番地二十五号

英　語：八番地二十五号　松庵二丁目　杉並区　東京都　ジャパン

郵便番号では　大分類　中分類　小分類となっており、日本式の方が便利で、合理的である。姓名（名字と名前）の順序も日本式の苗字が先に来る方が便利である。ヨーロッパでは、電話帳が苗字を先にして Smith, John とされているそうだ。

４）日本語の数詞はやさしい。合理的である

英語の場合。1 から 10 までは日本語と同じである。11 はテンワン、12 はテンツーと言うのが合理的なはずだ。実際、11 は eleven、12 は twelve と全然別の言葉である。20 と 30 も日本語は簡単である。英語では twenty、thirty と別の言葉である。フランス語はもっと複雑である。60 は soixante（ソワサント）、70 は soixante-dix（ディッス） (60 + 10)、72 は soixante douze（ドゥーズ） (60 + 12)、80 は quatre-vingts（カトルー ヴァン） (4×20)、90 は quatre-vingt-dix（ヴァンディッス） (4×20 + 10)、92 は 4 ×20 + 12 である。インド語では 1 から 100 までの数詞読みが全部バラバラだ。子どもに指を使って算数を教える。爪を１、第一関節を２、第二関節を３、第三関節を４とする４進法だ。手一つで 20、両手で 40 数えられるし、掛け

算もできる。日本語の数詞は少ない。11 個覚えれば、後はその組合わせである。大変やさしい。(『日本語の特質』p.216)

3．日本語特有の性格

日本語の特性
1. 口語体文に三つの文体がある
2. 独特の言葉がある
3. 母音で終わる美しい言葉である
4. 五七五調と五七五七七調の歌を作ることができる

1）口語体文に三つの文体がある

①文語体文（これはどこの言語でもある）

②口語体文　普通体：する

丁寧体：します

特別丁寧体：致します

2）日本語にしかない言語がある

「甘える」は日本語特有の言語である。土居健郎（1920–2009）の『甘えの構造』[22]によれば、アメリカで、日本育ちの英国出身の人が相談に来て英語で話していた時、「この子はあまり甘えませんでした」と、この部分だけを日本語で言ったと書いている。甘えは乳幼児の母親に対する依存感情である。甘えは母子の愛情という絆となり、人間関係の潤滑油となり、人間関係を豊かにする。しかし「依存心」であるから成人した大人は甘えを卒業して自立、自律しようと勧めている。

3）日本語は母音で終わる美しい言語である

マリオ・ペイ（1901–？）の “The Story of Language” という本の「言語の審美学」[23]の章には美しい言語の例としてイタリア語、スペイン語、それから日本語と数えている。その理由は、母音で終わるところがいいのだという。歌う場合に子音 s, t, th, d で終わる英語、ドイツ語などではフシがつかない。母音が多い言語は美しいと言う(『日本語の特質』p.61)。韓国語・朝鮮語も母音の多い美しい言語の一つである。アグネスチャンが歌う子守歌「半月（パンタル）」を紹介する。

よい子が眠りに　つく頃に　うさぎは月の　船に乗る　天の川越え
西の国　朝のきら星　あいにゆく　プールン　ハーヌル　ウン　ハス
ハーヤン　チョッペーエー　ゲースーナムハン　ナム　トキィ　ハン　マ
リー　ドッテェドアニダル　ゴ　サッテドオプ　シー　カギドツァルドガン
ダ　ソチョッナラロー

声楽家によるとaとoは歌いやすい。iは歌いにくい。eとuは中間だそうである。日本語は世界の言語に比較して最もaとoの母音の頻度が多い言語であると大西雅雄は言っている[24)]。イタリア語の2倍もある。世界で最も美しい言語と言えそうである。しかし、マリオ・ペイは、日本語には、惜しいことにゲンゴガクガイロン、ガイコクゴダイガクなどイタリア語に少ないga, gi, gu, ge, goの濁る音があると指摘している。

4）名詞と動詞を結ぶ「が」はヨーロッパ言語にはない

名詞につく助詞、主格を表す「が」を持っている言語は世界中に日本語のほかに朝鮮語だけである。日本語では、一つの名詞と、その次に来る動詞の関係を「が」で結ぶ。ヨーロッパ言語ではこの「が」にあたるものはない。多くは名詞の格変化で表す。目的格とか所有格とか変化する。しかしそれは規則的ではない。(『日本語の特質』p.210)

5）五七五調（俳句）、五七五七七調（短歌）のリズムある歌を作ることができる

五七五は、季語があれば俳句、なければ川柳となる。これらは、ことばによる遊びである。

【俳句】

閑かさや　岩にしみ入る　蟬の声　　（松尾芭蕉）
梅一輪　一輪ほどの　暖かさ　　（服部嵐雪）
雪とけて村いっぱいの子どもかな　　（小林一茶）

【短歌】

大江山いくののみちの遠ければ　まだふみも見ず天の橋立（小式部内侍）

夜をこめて鳥の空音は謀るとも　よに逢坂の関は許さじ　　（清少納言）

4. 外国語と比較した日本語の特徴

1）日本語では打ち消しの言葉が最後に来る。わかりやすく配慮する

もしも、電車のアナウンスで「この列車は、」と言って駅名を言い始め、やがて……「以外は止まりません」と「否定される」と、乗客は列車が自分の降りる駅で止まるのか止まらないのかわからなくなる。だから打ち消しの文では、早くに打ち消しがわかる文の構造にする。阪急電車のアナウンスではこの点に配慮して「この列車の止まる駅は、烏丸、大宮、西院、桂、長岡天神、高槻市、茨木市、淡路、十三、梅田でございます」と肯定の表現にしているのでわかりやすい。親切である。

2）文学と論文では表現が異なる

食堂での注文で「ぼくはウナギだ」は、文学ではあるが、元来おかしな言い方である。ウナギを食べに来たのであって、ウナギそのものではない。英語にしてI am a eelとしたら驚くことになる。コマーシャルに「缶ごとぐっとお飲みください」があったそうだ。それに文句をつけた人がいた。「缶ごと飲んだらノドへつかえてしまう」。日本語ではこういう表現は普通にある。（『日本語の特質』p.12）

文学では「骨を折った」という表現もできる。しかし論文では論理が明晰な「苦労した」と書く必要がある。

3）日本人は「打ち消しの表現」や「漠然とした表現を喜ぶ」

日本語「私は死にたくない」「私はこれだけしかできません」
英　語 “I want to live.”　　“This is all I can do.”
　　　（私は生きたい）　　（これが私のできる全てです）

終戦直後のアメリカの教育使節団が国語の教科書を編纂していた時のことである。日本の担当者が島崎藤村の『千曲川旅情の歌』を英訳して持っていくと、「これは何も書いてない詩ですねえ」と言われたそうである。「緑なすはこべは萌えず」「若草も藉(し)くによしなし」「野に満つる香りも知らず」と、「……ない、……ない」= It is nothing ～～という表現であるから、英語で考える人には何も頭に残らなかったそうである。ここにも論理的な表現と、文学的な表現の違いがある。(『日本語の特質』p.241)

4）「はい、いいえ」答え方の難しさ

中国語と朝鮮語の「はい」「いいえ」は日本語と同じだそうである。**英語**の「Yes」「No」は、そのセンテンス（文）が肯定(こうてい)の意味であるか、否定(ひてい)の意味であるかの違いである。「Yes」は「私は肯定する」の意味である。「No」は「私は否定する」の意味である。

Do you like coffee? → （肯定）Yes, I like coffee.
→ （否定）No, I don't like coffee.

日本語の「はい。いいえ」は英語の「Yes、No」とは異なる意味がある。「はい」は好ましく、「いいえ」は好ましくない言葉である。「はい」は「あなたのお考えは正しいです」という意味がある。「いいえ」は「あなたのお考えは違います」という意味になる。「あなたのお考えは……」なので、「いいえ」を使いにくいのである。

例えば、「コーヒーをいかがですか」の場合、「いいえ、私はいりません」は言いにくい。勧めてくれた相手の心遣いを否定するからである。飲みたくない場合でも「はい、ありがとうございます」と言ってから、おもむろに断る。これが日本人らしい断り方である。

日本人が普段の会話で「いいえ」を言うのは次の二つである。へりくだりの場合。「あなたは英語がよくおできになりますね」「いいえ、とんでもない。私など……」。相手を励ましたり、褒めたりす

る場合。「私はやっぱりダメな人間……」「いいえ、あなたは本当は力があるんですよ」。(『日本語の特質』p.231)

5）日本語の文学的とは起承転結である（中国の漢詩も同じである）

ゆく秋の　大和の国の　薬師寺の　塔の上なる　一(ひと)ひらの雲

（佐々木信綱の作品）

「一(ひと)ひらの雲」が作者の最も表現したい言葉（結論）である。これは起承転結・帰納法的構成・文学的である。これを英語にすると“a piece of cloud”と「一(ひと)ひらの雲」が先に来る。その後「塔の上なる」……「ゆく秋の」と、順序が完全にひっくり返る(『日本語の特質』p.197)。これは、結論が初めに来る。演繹法的構成・論文的構成である。

6）文学作品に見る身体表現

紫式部は光源氏がどんな顔か、目の大きさは、鼻が高いのか全然書いてない。全体として光り輝くような人という抽象的な表現である。日本式は「すがた」を重視する。「花嫁姿」とか「あで姿」「うしろ姿」「着物姿」など全体の姿に美しさがあるとする。

アメリカの小説『風と共に去りぬ』の主人公スカーレット・オハラについて、おじいさん、おばあさんについて、ナニ人で、髪はどんな色で、皮膚はどうで、目の色がどうだと詳しく書く。これがアメリカ式である。(『日本語の特質』p.150)

7）陳謝の表現（日本人は感謝する以上に謝るのが好きである）

バスの席を譲られた場合、「ありがとうございます」と言ってもよさそうなのだが、「どうもすみません」と言って腰を掛ける方が多い。その理由は「自分がここに立っていたために、あなたは立たざるを得ない。申しわけない」という意味である。

日本語の挨拶に「先日は失礼しました」がある。この挨拶を外国人に言うと、びっくりするそうである。「この人は自分が知らないうちに、自分に対してとんでもないことをしてくれたのだろうか」と思って不安になるそうである。

堀川直義によればこれは「自分は気づかずに行動しているが、何分自分ははなはだ不注意な人間である。だから自分が知らないうちに、もしかしてあなたに対して不都合なことをしているのではないか。もしそうだとしたらお許し願いたい」という気持ちである（『日本語の特質』p.235）。

5．ヨーロッパ言語の名詞の区別が意味するもの

新村出著『言語学概論』[25]によれば、名詞の性の区別は、ヨーロッパ人の昔の価値観で、価値のあるものは男性で、価値のないものは女性であるという名残である。例えばフランス語では花の「雌しべ」が男性名詞で、「雄しべ」は女性名詞である。アフリカの北方のベタウヨ語では男の乳は役に立たないから女性名詞で、女の乳は有用なので男性名詞である。ホッテントットの言語では河や湖の水は男性名詞で、洗い水、飲み水は女性名詞である。水一般は中性名詞である（『日本語の特質』p.200）。

日本語では名詞の男性女性は区別しない。しかし古来、男尊女卑が続いて来た。ヨーロッパ語では名詞の男性女性を区別する。しかし今日レディファーストで女性を尊重する。

	男性名詞	女性名詞	中性名詞
フランス語	雌しべ 鼻、足	雄しべ 口、手、伝令	
ドイツ語	口、足、指（デア・フィンゲル） 父親、息子	鼻、手 母親、娘、番兵	少女

練習課題

1．日本語における人を物扱いする表現の問題点についての考察
具体例を挙げて、自分の体験を根拠にして書くこと。前書きと後書きを付けること。

Memo

「あなたは……だ」という、あなたを主語にしたメッセージは攻撃的である。わたしを主語にしたメッセージは友好的である。一般的に人は、「私は……してほしい」など、友好的なメッセージに応答しやすいものである。

Note

名字は異体字（髙、﨑、吉、齋など）が多い。筆者は重症筋無力症を治療して40年になる。多くの病院にかかったが、診療録に「髙」と書かれたことは少なかった。問診票に「髙」と書いても、筆記者によって「高」と書き替えられた。「髙谷」を「高矢」と書かれたこともあった。

看護師の大切な心得の一つとして、患者の名字の一点一画に心遣いをして正しく書くということが挙げられる。氏名はアイデンティティー（身分証明）の一部である。漢字に気配りのできる看護師は、看護においてもそうにちがいない。

日本語の敬語の論理

敬語の本質は、上下・優劣などに関係なく、全ての人に対する敬意である。日本語では、敬語は、話題に出てくる人に対する**敬意**、あるいは、話の相手に対する敬意を表す意味に使用される。看護師は、公的な立場の者であるから、医療を受ける全ての人に対して敬語を使用する。敬語は両者の**尊厳**を守る機能がある。本章のキーワードは、敬意・尊厳・品位である。

1．敬語の複雑な論理

1）敬語の必要場面

敬語は、公の場か私的な場かで使い分けられる。司会や発表の場では親しい人でも敬語が使われる。そのほか、年齢の上下、初対面か知り合いか、先輩か後輩か、職場での地位の上下、客と商売人、教師と生徒、患者と看護師、医師と看護師の間でも敬語が使い分けられる。

2）敬語の差別・区別の側面

敬語には差別や区別という側面がある。ある組織に入った場合、自分の地位を確認し、上下を判断する必要がある。そして敬語を使う。学生の先輩後輩の関係では敬意というよりは区別が優先している。

3）敬語は身内では少ない

身内は敬語を使わず、呼び捨てにする。これは親密度と反比例する関係である。初対面では敬語を使う。やがて結婚して家族になると敬語は少なくなる。

クラスメイトも入学したばかりでは、知らない人なので敬語を使う。しかし親しくなるとクラスが一つのファミリーのようなものになり、年齢差があっても敬語は少なくなる。敬語は親しさのバロメーターである。

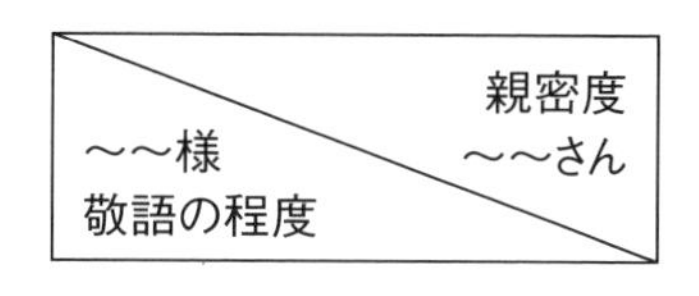

4）親しき仲にも礼儀あり

親しさの度合いによっても敬語の程度は少なくなる。例えば、患者と実習生との関係でも、ある程度知り合いになると敬語の程度は低くなる。「～～様」から「～～さん」に変わるのが自然である。しかし「友達感覚の実習」というのは良くない。「親しき仲にも礼儀あり」の諺にある通り、患者と実習生の関係では敬語を使う。

5）度を過ぎた敬語は敬意の反対を表す

度を過ぎた敬語は良くない。相手の高さを正しく判断していない。持ち上げ過ぎを受けたと感じた人は、敬意ではなく、その反対を感じることになる。「患者様」は持ち上げ過ぎである。実習で患者から「～～様は他人行儀だからやめてほしい」と言われた。しかし指導者から「～～様」を使うように言われ、これを実行したためにコミュニケーションがうまくいかなかったという事例がある。

6）敬語を使わないのは失礼にあたる

全く敬語を使わないのは、相手を自分と同等か、以下を表すことになる。日本語ではこれは失礼にあたる。日本語の敬語では、相手を自分よりも少し上の表現をして、敬意を表すようになっている。これによって人間関係が円滑に進む。

7）人格の敬意を含まない敬語もある

接客業では、敬語は敬意を含まない場合がある。敬意に関係なく、商売人は敬語を使う。客を敬い、自分を謙遜する。ビジネスでは商売道具の一つとして、人格に関係のない敬語もあり得る。

8）相手を受け入れないための敬語もある

相手に一線を引きたい時にも使う。「これ以上あなたとは親しくしたくない」という時に、敬語を丁寧に使う。つまり「あなたを受け入れたくない」という意味を表す。セールスや勧誘、その他の何かを断る時に高すぎる敬語が使われる。

9）敬語は敬意を表すことが本質である

2001年1月19日、京都のある寺院で仏像が盗まれた。テレビのインタビューで住職さんが「仏さんが盗まれました。犯人さんは……返してほしいです」と語っていた。敬語には「罪を憎んで罪びとを憎まず」という意味もある。仏像はおおよそ1年後に戻された。

「おいなりさん」や「だいこんさん」という言い方がある。京都では、子どもに、「うんこさん」と教える（ただし、京都に生まれ育った人は、「敬語を意識していないですよ」と語ることが多い。不浄のものを丸く包むように表現するのだそうだ）。京都では、どろぼうにもその他の多くの名詞に「さん」を付ける。

食べ物に感謝していただき、出るものにも敬意を表す。おシッコには二重敬語になるから「さん」は付けない。しかし、おいなりさんは二重敬語だが全国で使われている。関西ではアメ玉を「アメちゃん」と言う。生きていること、生きているもの、存在する全てのものに感謝し、上下や区別、優劣などに関係なく敬意を表す。これが敬語の本質である。言葉は意思を伝える働きがある。これに敬意を添えるのが敬語である。

2．親書・手紙・紹介状などの敬意の論理

手紙の宛名には「様」を付け、敬意を表す。この「様」は俗字である。俗字とは、漢字の字体の一つで、正字ではないが、世間で普通に使うものである。元の字を簡単にしたものである。俗字も市民権を得ている。様の元の字は樣である。「樣」は目上の人に、「様」

は同僚や目下に使われた。

手紙などで、自分の名の下に添えて相手に対する敬意を表す語に「拝」がある。例：「高谷修拝」。患者が他病院への紹介状を依頼すると、医師は封筒の表に「高谷修氏御侍史」と書いた。ただし、これは二重敬語なので近年は「高谷修氏侍史」と書く。侍史とは、貴人のそばにはべる書記である。つまり患者を通じて手紙を差し上げますという意味である。机下は、手紙のわき付けで、「おそば」の意味である。例：「山田先生机下」案下、足下などがある。御机下と玉案下は二重敬語である。

封筒は手紙を入れて封をする。封は糊付けする。そしてその上に「緘」と書く。これが敬意を表した封緘の仕方である。

3．人を呼ぶ場合と書き言葉の敬語の論理

1）話し言葉の敬語

会話での名前の呼びかけの敬語には、敬意の程度の高い方から「……様」「……さん」「……君」「……ちゃん」「呼び捨て」などがある。また、相手の人の動作や状態にも敬語の「さま」を付ける。例：「ご馳走さま」「ご愁傷さま」「お疲れさま」「ご苦労さま」「お気の毒さま」「お互いさま」「お待ちどうさま」。

ある介護士が認知症のお年寄りを「ちゃん」呼びをしていた。これは、無意識的にお年寄りを「自分よりも下」と見ている可能性がある。一般的に自分よりも小さい子どもを「ちゃん」呼びする慣習はある。この呼び方には自分が大きいという優越意識が存在する可能性がある。同じように看護師がお年寄りを「ちゃん」呼びするのは、自分よりも弱い人という無意識的な優越感が働いているためと考えられる。このような無意識的な優越感は克服する必要がある。全ての人に敬意を表すのが敬語の本質である。お年寄りには、名字

の名前で「さん」と呼ぶのが敬意を込めた呼び方である。

2）書き言葉の敬語

「氏」は文章の中で名前に付ける尊敬語である。会話の中では使わない。「殿」は会話の相手の名前に付ける古い敬語である。時代劇で使われる。過去には、病室の入り口やベッドの名札には、「殿」と使用された。しかし1990年頃からは使われなくなり、「様」に変わった。個人情報保護法施行以来、氏名さえ表記されなくなった。「御中」は団体や組織宛の手紙に「教務課御中」として使う。「先生」は恩師やものを教える人に宛てた手紙の宛名を書く時に付ける。「学兄」は男性だけの学問上の先輩や同輩に用いられた。昔、女性は学問から排除されていたから「学姉」は辞典にはない。男性女性にかかわらず使える「学友」が辞典にある。

話し言葉では「師長さんからアドバイスをいただいた」と敬語を使うが、論文では「師長からアドバイスを受けた」と書く。この論文を口頭で発表する時には、丁重な敬語で説明する。これが日本語の正しい使い方である。

共同通信社の『記者ハンドブック』[26]によれば、新聞では敬称は原則として「氏、さん、君、ちゃん」を使う。「君」は高校生以下、「ちゃん」は主として小学校入学前。小学生でも被害者の場合は使用してよいと書いてある。

3）二人称代名詞の敬語

一人称（わたし）、二人称（あなた）、三人称（彼・彼女）という人称がある。「あなた」という敬語は親密度と反比例している。初対面や公の場では、「あなた様」か「あなた」と呼ぶが、親しくなると「おまえ」か「呼び捨て」というように呼び方を変える。これは、ドイツ語、フランス語、日本語が共通している。

ドイツ語では、sie（ズィー）は敬称「あなた」、do（ドゥ）は親称「おまえ」に、

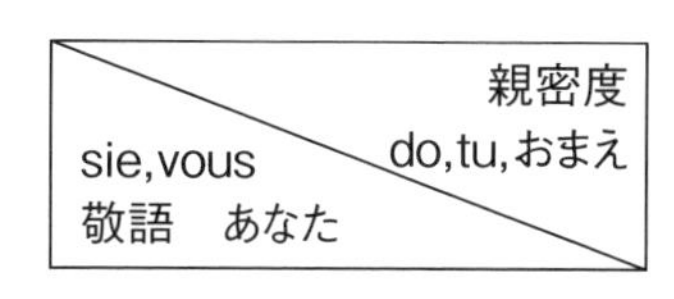

フランス語では、vous（ヴー）は敬称「あなた」、tu（テュ）は親称「おまえ」に使われる。英語ではyouが敬称「あなた」にも親称「おまえ」にも使われている。古い英語には親称にthouがあったが、今日では使用されない。

日本語の敬語は変化してきた。「貴様」は「貴い様」だったが、今は敬意の程度は最も低い。姫君（ぎみ）・若君の君（きみ）も敬語の程度は落ちた。あまり使われない。「あなた」というのも相手によっては失礼にあたるので、「こちらさま」や「おたく」など新しい代名詞を発明しつつある。「これは日本人だけが悩んでいるような一つのことがらではないでしょうか。ほかの国の人は、あまりこういう悩みはもたないだろうと思います」（『日本語の特質』p.222）。

4）皇族の敬称は「さま」の特殊用法

皇室の敬称は「様」の特殊用法である。日本の新聞社は皇族の敬称に平仮名の「さま」をつけて使う。皇太子と結婚した人は、結婚前は「さん」で、結婚後は「さま」と呼ぶ。「皇室典範」という法律に、天皇、皇后、太皇太后、皇太后には「陛下」、それ以外の皇族には「殿下」と定めている。共同通信社発行の『記者ハンドブック』[27]によれば、「天皇さま」は使わないとしている。その他の皇族には、皇后さま、皇太子さま、などとして使うとしている。これは日本書紀以来、皇族が神さまの子孫とされてきた名残と推測される。なぜ平仮名の「さま」なのかの理由は書いていない。

一、皇室に対しては、原則として敬称、敬語を使う。

二、敬語が過剰にならないようにし、二重敬語を使わないように注意する。

ご出席される（「ご……される」は二重敬語）→出席される、または、ご出席。「お着きになる」「ご覧になる」は使わない。

八、外国王室については、原則として敬語は使わない。

英国女王エリザベス二世、または、英国のエリザベス女王

4．敬語の規則・不規則変化の論理

1）動作する人への敬語表現（相手の人を高くする）

⑴．不規則変化（日常語は不規則変化が多い）

着る。たべる。求める→お召しになる。召し上がる。召される
する→なさる　行く→いらっしゃる　来る→おいでになる
言う→おっしゃる。仰せになる。見る→ご覧になる　くれる→下さる

⑵．規則変化（「れる」をつけるか「お……になる」）

動く→動かれる。お動きになる。歌う→歌われる。お歌いになる。

ところが、「見れる」「食べれる」「起きれる」という、ラ抜き言葉が1980年代頃から広がっている。「れる」は「できる」の意味にも使われるので、お年寄りへの「降りられますか」の語り掛けは、「降りることができますか」の意味にもなる。「私はできる。バカにするな」ということになりかねない。だから、疑問の呼び掛けにした場合に誤解される可能性がある。

⑶．動作を受ける人への敬語（謙遜の表現―自分を低くする）

①不規則変化（日常語は不規則変化が多い）

言う→申し上げる。　聞く→伺う。　もらう→いただく。
見る→拝見する。　やる→上げる。差し上げる。
見せる→お目にかける。　来る・行く→参る。

動作する人が二人同時の場合は難しい。例えば社長さんと一緒に出かける時、車を待っている。そして車が来た。「車が参りました。それでは参りましょう」では失礼にあたる。「参りましょう」は謙遜の言い方なので、社長さんに失礼になる。「車が参りました。お乗り下さい（これが社長さんへの敬意）。私もお供をさせていただきます」が正しい使い方になる（『日本語の特質』p226）。

②規則変化（「お……する」）は少ない。

伝える→お伝えする。　教える→お教えする。

⑷．命令文の表現と敬語　（相手に頼む、命令する場合）

「教えろ」「教えてくれ」「教えてくれないか」「教えて下さい」「教えて下さいませんか」「教えて下さいませ」「教えていただけないでしょうか」「お教えいただけたらありがたいのですが」と敬意を含めた段階の表現が日本語にある。規則的である（『日本語の特質』p222）。

これは英語にもある。“Tell me...” “Please tell me...” “Will you please...” “Wouldnt you...” “I wonder if you could tell me...”

2）敬意を表す敬語の論理

⑴.「お」の敬意の論理

日本語文法の本では「美化語」としているものがあるが、金田一春彦は「お」には敬語の精神があると書いている。例:「お名前」「お子さま」「お年」。しかし、「おニキビ」など否定的な言葉に付けると失礼に当たるので注意が必要である。

中国語に日本語より複雑な敬語がある。相手の苗字を聞くのは「您貴姓（ニンクイシン）」。名前を聞くのは「您尊名（ニンスンミン）」。年を聞く場合は「您高齢（ニンカオリン）」。相手が女性ならば「您芳齢（ニンファンリン）」である（『日本語の特質』p.223）。

⑵. 文体による敬意の論理

金田一春彦は「文体の違い」も「丁寧さ」だけではなく、敬意を表した言葉遣いであると言っている。この丁寧さの段階を持つ言語は、日本語のほか、朝鮮語、ビルマ語、チベット語、ジャワ語である（『日本語の特質』p.226）。

普通体	→丁寧体	→特別丁寧体
「山だ」	→「山です」	→「山でございます」
「勉強する」	→「勉強します」	→「勉強いたします」

これは動詞だけに限らない。名詞でも変化する。

今→ただ今　　きょう→今日　　あした→明日

⑶. 話題の人と話し相手を考慮した敬語の論理

日本語の敬語の難しさは、「誰について話しているか」と「誰に向かって話しているか」の両方を考えにいれる。

	（誰に向かって）		（誰について）
私	→お父様に直接	→	「お父さま、いらっしゃいますか」
私	→母親	→	「お父さんはいらっしゃるようですよ」
私	→自社の社長さん	→	「父も行くと申しております」
私	→他社の人	→	「（社長の）鈴木が申しております」
私	→他社から電話	→	「いま、社長は（鈴木）は……」
私	→社長の奥さん	→	「社長様は……」

「受話器をとった途端に、この相手は誰であるか判断しなければいけない。これは日本語の敬語の一番難しい点です」と金田一春彦は述べている（『日本語の特質』p.228）。すなわち、これを理解できれば、敬語の半分以上は克服できる。

3）敬語の変化の論理

⑴．その他の動詞と尊敬語・謙遜語の変化

	尊敬語（相手を敬う）	謙遜（自分をへり下る）語
する	→なさる	→いたす
会う、見せる	→ －	→お目にかかる
聞く	→ －	→うかがう、承る
知っている	→ご存じ	→存じている
持って行く	→お持ちになる	→持参する
飲む	→お飲みになる、上がる	→いただく
もらう	→お受けになる	→頂戴する、いただく
与える、やる	→くださる	→さしあげる、あげる
くれる	→くださる	→いただく
思う	→ －	→存ずる
持つ	→お持ちになる	→お持ちする
着る	→召す、お召しになる	－

学生のレポートに「教えて**くださ****い**ました」が散見される。これは相手に懇願する「教えて**ください**」にも使われるので、「教えて**いただき**ました」の方が、教えた人への適切な敬語と思われる。

練習課題

1．なぜ敬語を使うのかについての考察（前書きと後書きを付けること）

（この課題について、「目上の人だから敬語を使う」「尊敬できる人だから敬語を使う」「世間をうまくわたるための手段だから使う」という内容のレポートは不合格である。「目下の人と尊敬できない人に敬語を使わないという意味が含まれている。「道具として使う」では敬意が含まれていない可能性がある。看護では、尊敬できないような人にも、目下の子どもに対しても敬語が使われる。

例えば、植物状態の人や、重い認知症や精神病のために便をもてあそぶ人を尊敬できるだろうか。お金を騙し取って家族に迷惑をかけているギャンブル依存症やアルコール依存症、薬物依存症のある人を尊敬できるだろうか。暴力を振るったり悪口雑言を吐き捨てたりする患者を尊敬できるだろうか。常識的にはできないと考えられる。しかし、看護師は公の立場の者であるから、これらの人を含めた全ての人に敬意を表す敬語を使う必要がある。敬語は両者の尊厳を守る機能を持っている。）

Note　敬語に詰まったら尋ねる

適切な敬語が思いつかなくなった時、ごまかさずに小さい勇気を出して、そばにいる人に聞いてやり直しをする。誰かが教えてくれるだろう。あるいは「わからないので後で調べます」とすれば**品位**を保てるだろう。

年下の先輩と年上の後輩への敬語が微妙だ。この場合は年齢ではなく先輩後輩が判断時の優先事項となる。この場合も直接尋ねて敬語の程度を確認すれば良好な人間関係が築けるだろう。

10章 美しい文章

看護学はアート art(技術・芸術)であるから、論文にも美的世界が描かれる。実践科学である看護学は行為を研究する学問なので、看護師には美しい行為が必要である。美しさには外見的な美と内面的な美がある。外面的に整った文章であっても振り込め詐欺の内容では美しいとは評価されない。文章には、字が綺麗、構成が良い、わかりやすいといった外面的な美しさと、内容が良いといった内面的な美しさがある。本章の主テーマは「すべての人間関係は相互成就で成り立っている」である。

1．美しい行為

1）きらびやかな飾りは美しいという価値観

文を飾るのは修飾語である。主な修飾語には名詞を飾る形容詞、動詞を飾る副詞がある。１章で文は「主語は頭、述語は体」に譬えた。修飾語も同様に、形容詞は「ぼうし」に、副詞は「服」に譬えることができる。目的語「……へ、……に、……を」などは「荷物」に、荷物を飾るのは「ふろしき」に譬えることを加えておく[28)]。「きらびやかな飾りは美しい」という価値観であれば「形容詞や副詞を多用する文が美しい文章である」となる。そして、より高価な飾りが美しいとなる。

2）飾りではなく行為が美しいという価値観

一方「美しさは飾りではなく、行為である」という考えがある。筆者はこの立場で論を進めてきた。服装は清楚に、あまり飾らずにである。修飾語の多い文章は飾りのきらびやかさに目を奪われて、文章の良い悪いがわかりにくい。これに対し、服装を飾らずに書いた文章は、書き手の行為が見えてくる。行為には思想が伴うから、書き手の行為と共に思想も見えてくる。したがって、美しい文章とは美しい行為から書き表された思想である。つまり患者への援助を行なう看護師の行為からは「看護観」が見えてくる。しっかりとした看護思想に裏打ちされ書き表された文章は、美しい文章である。古いユダヤの賢者は次のように教訓を語っている。「自分の口をもって自らをほめることなく。他人にほめさせよ。自分のくちびるをもってせず、ほかの人にあなたをほめさせよ」（箴言（しんげん）27章2節）。

「あなたは施しをする場合、右の手のしていることを左の手に知らせるな。それはあなたのする施しが隠れているためである」（マタイによる福音書6章3-4節）。（『聖書』日本聖書協会訳　1969）

自分の文章を自ら褒めることなく、ほかの人が褒める時に美しい文章である。自分の行為が隠れている時に、自分の文章は美しい文章である。「行為が隠れている」とは「自分の行為を他人に言いふらさない。自慢しない」という意味である。

3）シラーの美しき立場

美しい行為について、シラー（1759-1805）の譬（たと）え話[29]がある。

寒空の荒野に、一人の男が盗人たちに襲われて怪我をして倒れていた。**一番目の旅人**が通りかかった。彼は事情を訴えて助けを求めた。旅人は心を動かされて言った。「それは気の毒だ。私の財布があるからやって来る人に頼むがいい」。彼は「ご厚意はありがたいが、あなたの少しの感性で人の苦悩を耐え忍んで見ることに比べると、財布を取り出すことは半分の価値もない」と断った。これは功利的でも道徳的でも、寛大でも美的でもなく、感情が動かされただけの親切に過ぎなかった。

二番目の旅人が現れた。彼は再び助けを求めた。旅人は言った。「あなたを助けていると損をする。お金を払ってくれるなら背負って僧院に運んであげよう」。彼は「賢いやり方ですが、あなたの親切はあまり褒めたものではない。あそこに馬に乗った人が来る。彼は無償でやってくれるに違いない」と断った。この行為は善意でも義務でも、寛大でも美的でもなく、功利的なものだった。

三番目の旅人は傷ついた男の傍らで災難の話を聞いた。旅人は内心と戦いながら言った。「病弱な私の体を護ってくれる外套を手放すのは辛い。疲れ切っているから馬を譲るのも辛い。しかし義務感が命じるから、この外套を着なさい。馬で運んであげよう」。彼は「あなたの誠意には感謝するが、あなたは困っているのだから、苦労はかけられない。二人の男が来る。彼らならやってくれるだろう」と断った。この行為は理性的で道徳的行為だけれど、感性の利害に反したものだった。

四番目に、二人の男が近づいて災難の話を聞いた。「こいつだ。われわれの探していた男は」。この男は彼らを不幸に陥れた敵であった。二人は復讐するために追ってきたのだ。「憎しみと復讐を満足させるがいい」。彼は覚悟して言った。一人が言った。「お前を助けてくれるところまで連れていこう」。男は「許してくれるのか」と問うた。するともう一人が言った。「いいかげんにしろ。私がお前を助けるのは、お前を許すからではなく、お前が惨めだからだ」。すると男は「私はどうなってもよい。高慢な敵に救ってもらうよりは、惨めに死んだ方がましだ」と断った。

五番目の旅人が来た。男は考えた。「何度も欺かれた。あの旅人も助けてくれる様子はない。やり過ごそう」。そして立ち上がって歩き出そうとした。ところが、旅人は背負っていた重い荷を降ろして言った。「隣村はまだ遠いから、そこに到着するまでに出血して死んでしまう。私の背につかまりなさい。あなたを運んでいこう」。「では、あなたの荷はどうなるのか」。「どうでもよいことだ。私が知っているのは、あなたが助けを必要としていて、私があなたを助けねばならないことだけだ」。

シラーによれば、美的行為は、感情や経済、道徳や高慢によるものではなく、直接的で無条件、見返りを求めない行為である。この実践には身体的・精神的・経済的・社会的な面において余裕が必要である。

看護がart（芸術）であるならば、看護師は患者の心のカンバス（画布）に何色を描くだろうか。感情や損得、義務や高慢という色の看護はふさわしくない。直接的で無条件、見返りを求めない行為を色で考えると、看護師の行為は透明色に譬えられる。ジュラードは『透明なる自己』[30]を著した。ナイチンゲールは「他人の感情のただなかに自己を投入する」[31]と言った。看護師の行為が隠し立てされることなく自己開示され純粋で透明色である時、患者の心のカンバスには幸という色が描かれるだろう。

4）美しい文章は美しい行為から生まれる

①動機が美しい

この５人の旅人の行為は、我々の行為を反省する参考になる。看護の場面で汚れたオムツを交換する動機は何か。シラーの譬え話に沿って考える。第一に「かわいそうだから」というのでは感覚的すぎる。第二に「給料をもらっているから」では打算的である。第三に「義務だから」というのではあまりに冷たすぎる。第四に「惨めだから」というのでは高慢である。第五に「オムツをきれいにしよう」という動機であれば、行為はきれいである。

筆者はこの五つの動機の他にもう一つの動機を付け加える。それは「練習のためにする」「研究のためにする」という動機である。これでは看護師中心である。患者は練習材料にされている。患者には人間扱いされない寂しさが残る。「オムツをきれいにする」と患者の問題解決を第一の目的とすることが患者中心の行為である。看護師の研究論文の執筆は第二目的である。看護師中心ではなく、患者中心に行なわれる看護が理想の看護である。

オムツをきれいにする。レポートや論文を作る。きれいな心を作る。掃除をする。患部に「手当て」をする。心にきれいな品性の花を咲かす。手は美しいものを作り出す愛の手である。美しい文章は、美しい行為から生まれる。

2．看護における美しい行為

教育における教師と生徒との関係には四つの型がある。看護にも看護師と患者の関係がある。したがって教育における教師・生徒関係は、看護における看護師・患者関係にもあてはめて考えることができる。

1）教師と生徒の人間関係は4類型ある（『教育原理』鯵坂二夫による）[32]

① 教師は支配、命令するもの。生徒は服従するもの。これは古来行なわれてきた教育方法である。鞭(むち)や笞(むち)が使われてきた。「教鞭」という言葉が今も残っている。

② 教師と生徒は同僚関係にある。これは支配・服従の関係の反省として現れた。しかし、これも正しくない。教える者（成熟者）と教えられる者（未成熟者）との間には大きな違いがある。

③ 尊敬による服従関係。教師は全人格が生徒に比べて優位にある。生徒は教師を尊敬して服従する。これが今日一般にとられている教師・生徒関係である。

④ 鯵坂二夫によれば第四の教師・生徒関係が存在する。それは他者実現の立場である。

「この他者実現の立場にあっては、指導者も被指導者もないのであって、教える者はかえって、教えられる者によって教えられるのである。この、他者の不思議なる力を媒介としての相互成就の世界こそはあらゆる教育関係の基礎と言うべきである」。

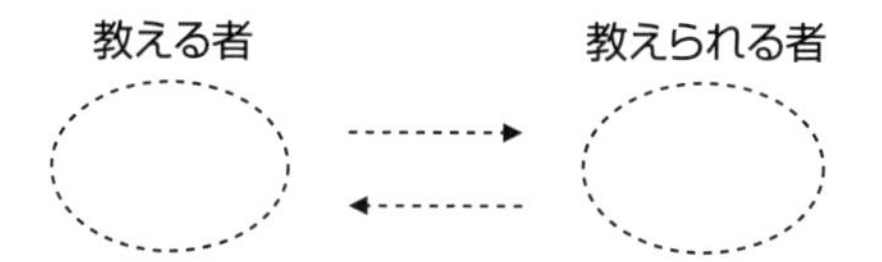

全ての人間関係は相互成就で成り立っている。親は子どもを育てることによって、子どもから教えられて成長する。勉強を教えた子どもは、もっと上手に教えようとして、勉強の意欲が増す。実習に出た学生は、患者にもっと良い看護を提供しようと思うようになり、知識と技術の学習と、そして温かい思いやりの研鑽に励むようになる。禁煙を励ます人は、励ますことによって、禁煙が成功する。教師は教えることによって、生徒から教えられる。

幼い子どもは、ままごと遊びをする時に援助者の役割を演じたがるものである。援助するということは、気持ちのいいものである。教えたり援助したり与えたりすると、自尊心が高まる。やる気が湧く。援助者であることによって、多くの人が益を受けている。教えることは、より学ぶための最良の方法である。

一般に、教育は一方向的な関係として理解されている。しかし、これは誤解である。糖尿病で自己管理できない患者は、誤知識や不十分な理解の場合がある。この患者へ一方向的に新しい知識を与えただけでは、療養指導は成功しない。誤知識に新知識は結びつかない。誤知識や不十分な理解と新しい知識を結びつけるのは、患者自身である。だから、看護師は患者からどのような療養をしているか教えてもらう必要がある。そして、誤知識と新知識との調整指導をする。やがて患者は新知識を習得するだろう。このように教育は、二方向、双方向、相互成就で成り立っている。

2）看護師と患者の人間関係

①看護師は支配命令する者。患者は服従する者。これは間違いで

ある。

② 看護師と患者は同僚関係にある。これも正しくない。援助する者とされる者は違う。

③ 尊敬による服従関係。患者は看護師を尊敬して身を委ねる。

④ 他者実現の念願の関係。援助する者は援助する行為によって援助される。援助される者も援助される行為によって援助する。

看護師が患者に糖尿病の食事指導を行なう時、説明しながら、自分も指導される。食事内容や間食に気を遣うようになる。教える行為の中で新たな気付きがある。また人に教えるためには、自分が勉強しなければ教えられないと自覚する。勉強の大切さを教えられ、学習意欲が増す。

世話を受けるだけの存在の患者は「もう、お迎えが来て欲しい」と「自己の存在価値」を見失いがちである。患者は指導を受けるうちに、看護師が指導の技術を向上する姿を見る。患者は、「世話になりっぱなしの自分でも人様の何かの役に立てる」という存在価値を見出(みいだ)し、生きている喜びを感じる。患者は援助される中で看護師を援助する。これは相互成就の世界である。看護師も、患者も共に他者実現を念願する世界である。この行為が美しいのである。

他者実現を念願するとは愛する行為の一つである。次に「愛するとは」を研究する。

3）愛の３段階（自然的物欲愛・価値愛・他者実現愛）

我々は「愛するとはどんなことであるか」を古代ギリシア人に学ぶことができる。ギリシア語の「愛」にはエピテュミア、エロース、アガペーの三つがある。日本語ではそれぞれ「自然的物欲の愛」「自己実現（価値）愛」「他者実現愛」である。愛の対象は「物」「価値」「他者」の三つである。波多野精一（1877-1950）によれば愛は「他者との生の共同」である[33]。

愛の第1段階：エピテュミア（自然的物欲愛）

第一の愛は動物的で、自然的である。ハーロウ（1893-1960）は[34]、子どもの愛情がどのように芽生えるかサルの子どもを使って実験した。子どもの愛情は学習されたものか、それとも母親に備わっている一定の刺激特性が子どもの愛着行動を惹起するのかを調べるためである。

生まれたばかりの子ザルに、針金でできた冷たいが乳を出す親と、布でできて保温してあるが乳が出ない親を与えて観察した。すると子ザルはいつも布でできた親に抱きついていて、哺乳の時だけ針金の親のところに行った。この結果から、ハーロウは「接触の愛撫が母親に対して愛情をそそぐ誘因となっている」と結論をくだした。

子どもの愛情は、肌を触れることによって芽生えると考えられる。きわめて物欲的なものと考えることができる。母と子、夫と妻の間にもこれと似た力が働いていると考えられる。人とひとを結びつける力ともなっている。子どもと大人の教育的関係に見られる人格的なものの根柢には、自然的物欲愛が存在している。しかし、自然的物欲愛には、相手を物件化し物扱いしてしまう危険性がある。

愛の第2段階：エロース（価値愛・自己実現）

第二の愛は人間的、文化的な価値愛、自己実現愛である。ギリシア語のエロースは「価値を愛する」の意味である。これはプラトンの『饗宴』に記されている。エロースはポロス（知恵と方策に富裕の神）とペニア（貧窮の女神）の間に生まれた。エロースは母ペニアの血のゆえに、手に入れたものはすぐに手の間から漏れ落ちてしまう。しかし、一方、父ポロスの性質を受けたため、美しいもの、善きもの、価値、完全をめざして果てしなく、努力し励まなければならない悲劇的運命にある。

エロース的自己実現の究極は、奪う愛である。エロースは自己の成長のために吸収しようとして全てを奪う。自己実現は自己を中心とする。しかし、エロースは理想には到達しえない。極端な自己主張は、あらゆるものを奪うことになる。そして、自分をも自殺に追いやる危険性を持っている。

愛の第３段階：アガペー（他者実現愛）

ギリシア人が発見したもう一つの愛は､アガペー（他者実現愛）である。他者実現愛によって､物欲愛が人間を物件化する危険と、価値愛が持つ自己中心的で他者を奪いつくす危険を克服する道が開かれる。愛が、アガペー（他者実現愛）の愛、すなわち、見返りを求めない愛、無償の愛、犠牲的な愛である時､「心を尽くし、精神を尽くし、思いを尽くして」他者実現のために生きる時、それは自己実現となって還ってくる。自分を捨てる時に、自分を生かすことになる。愛は、与える行為によって与えられる。ここに愛の充足がある。どちらかへの一方向の愛は、枯渇してしまう。我が愛し、かつまた我も愛される。与える行為によって与えられて、愛は充足する。アガペー（他者実現愛）は､「人がその友のために自分の命を捨てること、これよりも大きな愛はない」[35)]において完結する。

4）看護が他者実現の愛の業である時、美しい行為である

入院した子どもは「肌の温もりという愛」を求めている。寝たきりになり、人生の最期を迎えた患者も、やさしい、温かな「手」を必要としている。看護師が看護の知識を増やし、技術の研鑽に励むのは価値ある努力である。これは自己実現である。しかし、自己実

現だけにとどまっていては、奪う愛にとどまってしまう。得られても満足できず、無限に追い求める学問になってしまう。あるいは、時には自己の知識や技術を過信したり、絶対視してしまう危険性がある。だから、自己実現は、他者実現に転換する。看護師中心の研究ではなく患者中心の研究にする。看護学生であっても、第一目的にすべきは学生の勉強ではなく、患者の問題解決である。まさに天動説から地動説へのコペルニクス的転回である。このように教育的人間関係は、一方向的ではなく、双方向的である。

看護が他者実現の愛の業（わざ）である時、美しい行為となる。美しい行為を書くことが、美しい文章を書く秘訣である。

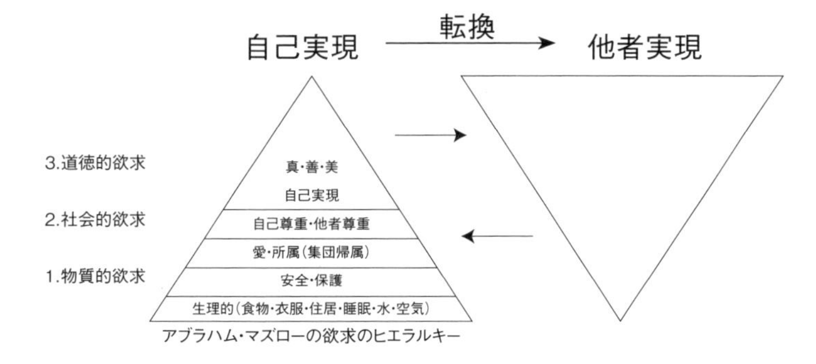

アブラハム・マズローの欲求のヒエラルキー

練習課題

1．美しい文章についての考察（前書きと後書きを付けること）

（　美しい文章は、外見（字がきれい・構成が良い・わかりやすい）が良いということだけではない。美しい行為が書かれる必要がある。）

11章 推敲の仕方

推敲（すいこう）の「敲」は常用漢字ではないから、中学と高校では指導されない漢字である。推敲は、推（お）したり敲（たた）いたりするという意味である。だから「稿」と書き間違わないように注意する。これは、唐の詩人賈島（かとう）が「僧推月下門」という句を作ったが、「推す」を改めて「敲く」〔高＋ト(枝)＋又(手)〕にしようか迷って韓愈（かんゆ）に問い、「敲」に決めたという故事から来ている。

一般的に、推敲は字句を練ることとされている。これは字と共に句も練られる。句には、文節や段落、章も含まれる。だから、推敲は全体構成（結論の位置）・文の構造（主語と述語の繋（つな）がり）・時制の問題など、幅広く考える必要がある。

人間は、目で見て、手で触れ、五感を働かせて、心（知性・情緒・意思）で考える。考える時の道具は言語である。我々は日本語で思考している。言語による思考の筋道が正しくなるように、文章を推したり敲いたりして練るのが推敲である。思考の筋道が正しいとは、多くの人が使っているのと同じように言葉を使い、意味が通じることである。思考の法則・思考の形式・推理の仕方、論証の筋道が論理である。本章では、思考の筋道が正しい文章にする推敲の仕方を研究する。

1．全体構成の推敲

1）問題解決構成の推敲

本書の６章にあるように、問題解決を目的とした実践研究では、序論・本論（問題、仮説実践、問題の結果、実践の評価）・結論という構成になる。この中の一つも欠けないように筋道が通った文章に推敲する。

2）看護観の推敲

本書の第５章にあるように、本題・副題・第１文・根拠（複数の体験）・結び（看護師の役割）で全体を構成するように推敲する。

3）レポートの推敲

「～～について述べよ」というレポートでは、本書の２章にあるように、まず初めに答えの概略を述べる。そして答えの説明を展開する。終わりに結びを書く。添削者が内容の全体を把握できるように推敲する。

4）肯定文に推敲する

書き初めと結びには肯定文を書く。これはサンドイッチに似ている。ここに否定文（ではない）があると、読み手は何が始まりなのか何が結びなのかに戸惑う。文頭と文末は「～ではなく、…である」と肯定文に推敲する。

2．文の構造の推敲

1）物理的言語と抽象的言語を組み合わせた場合の推敲

物の名前には、物理的な世界の言語（オムツ、交換、人、身体など）と、抽象的な世界の言語（体位、変換、対象、生命など）がある。これらを合わせて文章を作った場合の推敲には注意が必要である。例を挙げる。

「体位」は抽象的言語であり、「交換」は物理的言語である。これを合わせて「体位を交換する」という表現は正しくない。譬（たと）えて言えば、「虹に足をかけて登る」と同じである。「体位を変換する」のようにどちらも抽象的言語に統一する。また、「オムツ」も「交換」も物理的言語である。「オムツを交換する」のようにどちらも物理的言語にする必要がある。「オムツを変換する」は正しくない。

2）主語・述語の「含むものと含まれるもの」との関係の推敲

物の名前には、含むものと含まれるものの関係がある。主語は述語に含まれ、述語は主語を含む関係にある。文の主役は述語である。

薬は広義の概念、カゼ薬は狭義の概念である。カゼ薬は薬に含まれ、薬はカゼ薬を含む関係にある。「カゼ薬は薬である」。これを反対にした「薬はカゼ薬である」は正しくない（カゼ薬以外に様々な薬がある）。「看護学は実践科学である」は正しいが、「実践科学は看護学である」は正しくない（実践科学には介護学、保育学、教育学などある）。「事例研究は看護研究である」は正しいが、「看護研究は事例研究である」は正しくない。看護研究には、看護理論研究、看護歴史研究、その他がある。

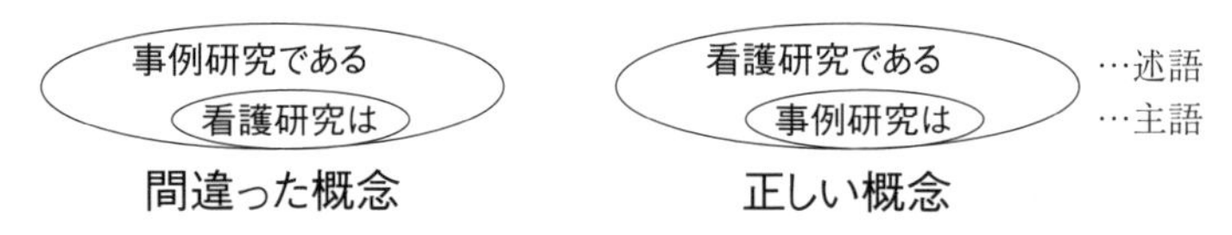

3）「対象とは、患者・家族である」という定義の推敲

「対象とは、患者・家族、褥婦などである」という定義は正しくない。「対象」はあらゆる存在を表す広義の概念である。この「対象」にはペットの犬やその他の存在が含まれている。「対象」は既に定義されている語だから、患者・家族・褥婦に限定（再定義）することはできない。

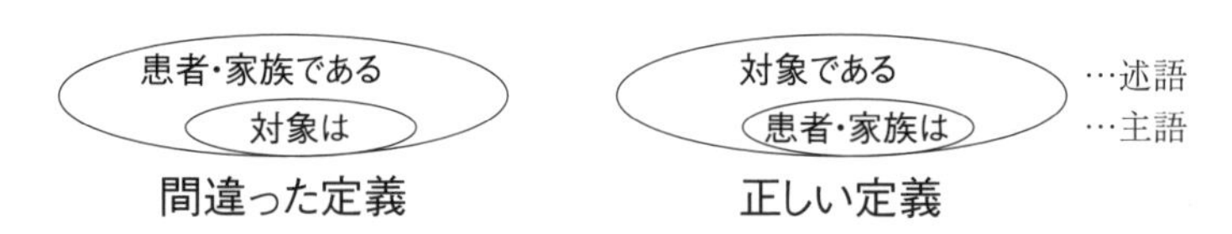

ところが、この間違った定義を前提として、次のように間違った表現が看護界に広まっている。出版物には「対象を捉える」「対象の状態」「対象の看護問題」その他多くある。また、これを使用している教員もいる。そのために、学生らは「対象と会話した」「対

象を観察する」などと、間違った表現でレポートに書くことがある。

一方、「対象」を述語に用いた「患者・家族、褥婦は、看護の対象である」は正しい概念である。こういうことから、筆者は「看護を受ける人」という用語を使用するよう提案している。

ところで、「看護を受ける人」を表す言葉として「対象者」も不適切である。「対象者」と言えば、「奨学金の対象者」「調査の対象者」「検査の対象者」など多くを含む。「対象者」は「医療を受ける人」だけに限定できない。「対象者」を「看護を受ける人」と推敲する。

4）主語に述語が正しく対応するように推敲する

学生のレポートにしばしば「看護師とは、……患者に援助する」という文が見られる。日本語は主語と述語が離れるという性質のためにしばしば見られる誤りである。これは「看護師は、……患者に援助する」と推敲する。保健師助産師看護師法に「看護師とは、厚生労働大臣の免許を受けて、傷病者若しくは褥婦に対する療養上の世話又は診療の補助を行なうことを業とする者をいう」とある。これは正しい。

「文章を書く時に心がけていることは、まず初めに大きな項目を書き出す」という文は「〜〜心がけていることは、まず初めに大きな項目を書き出すことである」と対応するように推敲する。この場合「こと」が二重になる。これが嫌なら「文章を書く時に、まず初めに大きな項目を書き出すように心がけている」と直す。これが洗練された推敲である。

3．文章の意味を明らかにして書き直す推敲

1）複数の文節を繋（つな）いだ文は分割して推敲する

「〜〜は……である」という知識を判断という。判断を文章や記号で表されたものは命題という。命題は、接続詞「・（かつ）、⊃（な

らば)、∨(あるいは)、≡(イコール)、〜(ない)の記号で繋ぐことができる。この論理命題は、綴った文章を推敲する際の参考になる。

p・q(pかつqである) :レポート提出しかつ合格した
p⊃q(pならばqである):レポートを提出したならば合格である
p∨q(pあるいはq) :学業を終わるか、進学かを選択する
p≡q(pイコールq) :学業の終わりは、就職である
p〜q(pはqでない) :学業の終わりは、就職ではない
(p・q)⊃(r∨s) :レポートを提出し、かつ、合格したならば、学業を終わるか、進学かを選択する

さて、文章を綴る際に40字以上の1文を長く書く癖のある人は、三つ以上の文節を繋いで、次のような意味不明の文章を書くことがある。

p∨〜q⊃q〜r:pあるいはqでないならば、rではない

これに現実的な概念をあわせて文を作ることができる。「洋一はサッカーをしているかあるいは誠二は家で本を読んでいないかならば順一はサッカーをしていない」。この文は真偽が判断できない。推敲の際には、この文を三つに分割する。「洋一はサッカーをしている」「誠二は家で本を読んでいない」「順一はサッカーをしている」。そして、この三人がどこで、誰と、何をしているのかを明らかにして推敲して書き直す。

2)演繹論理と帰納論理の判断で推敲する

真と偽の二つだけの基準で推敲するのが演繹(えんえき)論理での判断である。「AはBである。AはCではない。Dについては明らかではない。Eについて研究した」などは、論理的でわかりやすい。

真・偽・真でも偽でもない判断など、三つ以上の基準で推敲するのが帰納論理での判断である。「かもしれない。だろう。あろうか」などは真か偽かが不明確な表現である。これは論文には不適切である。これらは、自信がなく、言い切れない時に無意識に使う傾向が

ある。自分の考えを書く場合には、「と考えた」や「と推測した」と推敲する。

願望文（努力していきたい）、命令文（しなさい）、感嘆文（なんと……ことか）、祈り文（お祈り申し上げます）、決意文（していきたい）は、それぞれ偽（しない）の意味はない。しかし、真（する。である）が明確ではない。これらは、偽の文と推敲される。

4.三段論法での推敲

三段論法の前提は「全ての……」で始まる。2段目は「個別」に狭める。結論は個別の問題点を言及する。

全てＭはＰである。	全ての糖尿病患者はインスリン依存型か非依存型である。
ＳはＭである。	Ａさんは糖尿病患者である。
ＳはＰである。	Ａさんはインスリン依存型か非依存型である。

全てのＭはＰではない。	1980年、世界保健機関（WHO）は天然痘撲滅宣言を出した。全ての人間は天然痘に感染しない。
ＳはＭである。	Ｂさんは病気になっている。
ＳはＰではない。	Ｂさんの病気は天然痘ではない。

ところが、三段論法は形式が正しそうに見えて、正しくない場合があるので、間違った理屈にごまかされないように推敲する必要がある。天然痘のウイルスをロシアとアメリカは保有している。テロの武器として使用された場合に備えてワクチンで予防するためである。誰かが天然痘ウイルスをテロの武器として使用する可能性がある。前提が正しくない場合がある。

予防接種を受けるとインフルエンザに感染しない。

Cさんはインフルエンザの予防接種を受けた。

Cさんはインフルエンザに感染しない。

これは前提が正しくない。実際には予防接種をしてもインフルエンザに感染する場合もあるので、この考え方は正しくない。同じように文章を綴った後で、書き上げた文章が正しいかどうか、注意深く推敲する必要がある。

1）消去法を使って推敲する

消去法は、全体から条件に合わないものを除いていき、残ったものを目的のものと選択する考え方である。それぞれの見出しは条件である。見出しに合わない内容は削除するか、同じような内容の場所に移動する。文章を推敲する場合に消去法の考え方を応用する。

2）収束的思考を拡散的思考に推敲する

収束的思考は、ある決まった一つの考え方しかない思考方法である。これに対し、拡散的思考は様々な応用をする思考方法である。例えば、幻覚や妄想のある統合失調症患者に対して、健康な側面に着目した援助がある。看護師は患者の不健康な面に捕らわれがちだが、これでは人間関係は築けない。そこで視点を健康な側面に転じる。これが拡散的思考である。「……である」だけでなく「〜〜でない」と反対も加える。ナイチンゲールの看護論には、ヘンダーソンの看護論も加える。実習では患者に心の開示を求めるのではなく、学生の方が自己開示する。こうするとコミュニケーションが広がる。

5．ケーススタディの推敲

ここでは、特に気を付ける必要のある表現の推敲について述べる。論理学の「真か偽か」という考え方を参考にして推敲する。

1）「不眠への援助」は偽である

「良眠への援助」を真とすると、「不眠への援助」は偽である。不眠への援助は、患者を眠らせない援助である。以下も同様である。

不安への援助→不安を訴える患者への援助
褥瘡ケア　　→褥瘡のある患者のケア
転倒ケア　　→転倒の危険性のある患者のケア

2）「〜〜と……を飲んだ」の推敲

「パンと牛乳を飲んだ」では、「パンを飲んだ」ことになる。「パンを食べ、牛乳を飲んだ」と推敲する。そのほか、「頭、切った？」→「髪、切った？」、「散歩とケーキを食べた」→「散歩をしてケーキを食べた」と推敲する。ある学生が友人から「昨日は姉と晩ご飯を食べた」と聞いた。その時に違和感を覚えた。「姉が友人の胃の中に入っている可能性がある」とレポートに書いた。「昨日は姉と一緒に晩ご飯を食べた」でも良くない。これは本章のp.130に推敲文を掲載してある。洗練された日本語に近づくように推敲する。そのほか、「妹とおやつを食べた」「患者とおやつを買いに行った」「ネコの缶詰あります」「犬とご飯を食べた」も推敲しよう。

3）時制の推敲

ケーススタディ（事例研究）を書き上げたら、時制（過去・現在・未来）を推敲しよう。「来月退院の予定である」という時制は良くない。実習をしているその時は確かに来月である。しかし、論文を書き上げて発表するのは何カ月か後のことである。「翌月退院の予定である」と推敲する。

先週→前の週　　きのう→前日　　来週→次の週、1週間後
先月→前の月　　きょう→その日　　来月→次の月、1カ月後
去年→前の年　　あす　→次の日　　来年→次の年、1年後

4）ケアとリスクの推敲

筆者は「リスクをケアする」という練り歯磨きを愛用していた。しかし「リスクとたたかう乳酸菌」というヨーグルトを買うようになってから疑問に思うようになった。「リスク（危険）をケア（世話）

すると、虫歯が進行します」と手紙を出したら、「商品開発の参考にします」と歯ブラシ２本を添えて返事が届いた。まもなく「リスクをケアする」が消えた。

５）差別語や不快語の推敲

これらの言葉そのものには差別の意味はない。しかし、人々が差別の意味で使用してきた歴史があるので差別語である。

⑴　身体の障害に関する差別語の推敲

①廃疾→障害　②おし→言語障害　③つんぼ→聴覚障害

④びっこ→歩行障害　⑤片輪→肢体障害　⑥めくら→視力障害

⑦不具廃疾→重度障害　⑧障害を持つ→障害のある

⑵　身体の特徴に関する差別語は使用禁止

でぶ、ちび、やせ、でか、ハゲ、出っ歯、出目など

⑶　職業や身分に関する差別語は使用禁止

穢多、非人、四つ、乞食、ものもらい、売女、ばばあ、じじいなど

部落→集落、コミュニティ　　百姓→農民、農業、農家など

⑷　病名に関する差別語も使用禁止

肺病→結核　　癩病→ハンセン病　　ライ予防法は 1996 年廃止。

白痴→精神薄弱→知的障害　　　　蒙古症→ダウン症

⑸　英語における差別表現と言い換え（ごく一部）

Miss, Mrs. → Ms ミズ　　disabled → people with disabled

birth control 産児制限→ family planning 家族計画

推敲例：「昨日は姉と二人で晩ご飯を食べた」

練習課題

１．これまでにしてきた推敲についての考察

12章 漢字の論理

本章の目的は、間違って覚えている字を正し、新出する看護専門漢字と2010年に追加された196字の常用漢字を習得することである。医学看護学の専門漢字は500字ほどある。この内の250字ほどが使用される。「不可**決**」という誤字を防ぐには、書いた字を**疑う**、辞典で**調べる**学習方法が有効である。辞典は**欠**かせない学習用具である。

1．学ぶ漢字の数の変遷

1）教育漢字（1,006字）

文部科学省が『小学校学習指導要領』で指定し、小学校で習う1,006字を教育漢字という。同『要領』(2008年）によれば、小学卒業時に「6学年の漢字を読む。5学年までの漢字が使える。6学年の漢字は漸次書く」となっている。漢字には音訓が多数ある。小学校ではそれらを全て学習するのではない。教育漢字の音訓全て習得するのは中学卒業までの間である。小学生用の国語辞典では、教育漢字と常用漢字の区別を表示してあるので判別できる。

2）常用漢字((1,945字＝1,006字＋939字)－5字＋196字＝2,136字)

①学校教育における漢字使用

ア．1,945字の常用漢字

1981年に政府は1,945字の常用漢字を告示した。これにより、1946年に政府が告示した「当用漢字」1,850字の告示は廃止された。これには教育漢字1,006字が含まれている。文部科学省の『中学校学習指導要領』(2008年）によれば、中学3年までに「教育漢字を書ける。使える」のほか「教育漢字以外の常用漢字の大体を読むこと」が目標である。また、同『高等学校学習指導要領解説』(2010年)によれば、高校3年までに「常用漢字の読みに慣れ、主な常用漢字が書けること」が目標である。

イ．2,136字の常用漢字

2010年に政府は、5字（勺・錘・銑・脹・匁）削除し196字を追加した2,136字の常用漢字を告示した[36]。追加された新しい常用漢字は、2012年度から中学校で読みを、高校で書きが指導されている。2015年度から大学入試に出題される。2018年の新卒看護師は新しい常用漢字の知識がある。だから、先輩看護師は新しい常用漢字の知識を得ておく必要がある。常用漢字は、最低限の常識である。これは全部習得する。「疾病」はシッペイと読む。間違いやすいので、注意の必要な読みである。

②一般社会における漢字使用

ア．新聞における常用漢字使用

政府の告示によれば、常用漢字は一般社会での漢字使用の目安である。新聞社では、中学校卒業程度の知識で新聞が読めるようにと

闇（やみ）、鍋（なべ）、牙（ガ、ゲ、きば）、瓦（ガ、かわら）、鶴（カク、つる）、玩（ガン）、磯（いそ）、臼（キュウ、うす）、脇（キョウ、わき）、錦（キン、にしき）、駒（ク、こま）、詣（ケイ、もう・でる）、拳（ケン、こぶし）、鍵（ケン、かぎ）、虎（コ、とら）、虹（コウ、にじ）、尻（しり）、柿（シ、かき）、餌（ジ、え、えさ）、腫（シュ、は・らす、は・れる）、袖（シュウ、そで）、腎（ジン）、須（ス）、誰（だれ）、腺（セン）、曽（ソウ、ソ）、酎（チュウ）、枕（まくら）、賭（ト、か・ける）、瞳（ドウ、ひとみ）、頓（トン）、丼（どんぶり、〜どん）、汎（ハン）、斑（ハン）、釜（かま）、謎（なぞ）、妖（ヨウ）、嵐（ラン、あらし）、呂（ロ）、証（あか・し）、癒（い・える、いや・す）、粋（いき）、描（か・く）、要（かなめ）、応（こた・える）、鶏（とり）、館（やかた）、委（ゆだ・ねる）

常用漢字を使用漢字の基準にしていた。常用漢字以外の漢字を使用する場合は、振り仮名を付けるか、平仮名書きをしていた。しかし、日本新聞協会は、2002年2月から前記の48字を読み仮名無しに使用を決めた。日常的に使用されていたからである。(磯・証・癒・粋・描・要・応・鶏・館・委は、訓読みが常用漢字に追加されなかった)

京都新聞社では読み仮名無しで以下の漢字を使用することにした。一揆(いっき)、旺盛(おうせい)、斬新(ざんしん)、獅子(しし)、自堕落(じだらく)、席巻(せっけん)、外様(とざま)、奈落(ならく)、刃傷(にんじょう)、蜂起(ほうき)、捕捉(ほそく)、蜜月(みつげつ)、拉致(らち)。同読み仮名付きで使う。迂回(うかい)、冤罪(えんざい)、凱歌(がいか)、儀仗(ぎじょう)兵・隊、堆積(たいせき)(2002年2月20日『京都新聞』)。

イ．書籍における漢字使用

常用漢字は、一般に出版される書籍の漢字使用の基準ともなっている。本を執筆する場合は、常用漢字の漢字使用が目安とされる。

常用漢字は、強制力はない。表現の自由が憲法で保障されている。

ウ．専門科学における漢字使用

前記告示には「この表（常用漢字）は、科学、技術、芸術、その他の各種専門分野や個々人の表記にまで及ぼそうとするものではない。」と前書きがある。

看護学や医学などの専門用語は常用漢字の目安の範囲外である。例えば、身体各部の名称は常用漢字でないものが多い。顎(がく)関節症、頸(けい)部、口腔(くう)、膵(すい)臓、踵(かかと)、鼻中隔彎(わん)曲症、挫(ざ)傷、髄鞘(ずいしょう)、頤(おとがい)、臍帯(さいたい)、胃瘻など。看護師はこれらの漢字を読み、かつ書けることが望ましい。

筆者の調査によれば、医学・看護学で使用される（2010年以前の常用漢字以外の）漢字は523字ある。これは『看護学生のための自己学習ガイドブック』（金芳堂刊、2014年）に収録してある。

エ．一般国民が書くことはない漢字が一つだけ常用漢字にある

それは、常用漢字にある璽（じ）である。国璽（こくじ：国の印鑑）。御璽（ぎょじ：天皇の印鑑）として使用される。法律の公布時に「御名御璽」と記される。

3）教養漢字（おおよそ 3,000 字＝ 2,136 字＋ 864 字）

常用漢字の 2,136 字に 864 字を加えたものが教養漢字である。「国語辞典」では、おおよそ 3,000 字を収録している。教養漢字の 1,000 字の学習は、学校、教師、生徒、個々人の自由である。次の漢字が読めたり、書けたりすると教養があるということになる。

癒す、鬱積、頷く、嬉しい、嚥下、貶める、襤褸、覚醒、蓋然性、臥床、葛藤、整頓、親戚、繋ぐ、閉塞、瀰漫、糜爛、睫毛、螺旋、埒、寛解、截石位など。（読みは p.144）*

4）日本語で使用される漢字はおおよそ 6,000 字

6,000 字が日本語でおおよそ使用される漢字である。ただし、名字の髙（高）、𠮷（吉）、﨑（崎）、槗（橋）、桒（桑）、兎·莵·兎（菟）、栁（柳）、濵（浜・濱）などは、異字体、異体字と言われている。このほかに多くの名字があるが、コンピュータに登録されていない名字がある。「捗（進捗）」が常用漢字となった。「捗」は俗語である。ある『難字·異体字辞典』[37]によると、異体字のもとの親字が 4,294 字あり、これから派生した異体字は 15,441 字ある。

5）康熙字典

康熙（こうき）字典は、中国（現在中華人民共和国）の清の康熙帝の勅命により 1716 年に編纂された。47,035 字の漢字を収録してある。漢和字典の漢字配列の基準となっている。

2．漢字使用上の課題

1）常用漢字と常用漢字以外の漢字の判別の仕方

出版社によって表示が異なるが国語辞典と漢字辞典によって、判別することができる。例えば側（そば）、易（やすい）の訓読みは常用漢字表に載っていないので平仮名で書くとなっている。

2）漢字は、国語辞典と漢和辞典（字典）で調べる

漢字の意味と書き方は、辞書を常に開いて確かめる。読み方は、漢和辞典を開く。机上には常に辞書を置いて、開く習慣を付ける。この努力なしに漢字の習得はありえない。また国語辞典は1981（昭和56）年以前発行のものは、「当用漢字」、2010年以前の辞典は「旧常用漢字」なので、2010年以降発売の辞典が必要である。電子辞書も2010年以降の機種は新しい常用漢字を収めてある。

3）名詞形だけの漢字がある

漢字には、名詞形だけの漢字がある。動詞形は別の漢字である。数少ないが、間違わないで書く。「雲、氷、印、堀、周り、初め、向かう、新た、忙しい」などは名詞形だけの漢字である。動詞形は「曇る、凍る、記す、掘る、回る、始める、迎える、改める、急ぐ」となる。ただし「回り」「始め」とも書く場合もある。

4）俗字・代用字・簡略字はレポートや論文では使わない

①**俗字**：正字ではないが一般に使用されている漢字である。論文では使わない方がいい。（　）内が俗字である。頸部（頚）、葛藤（葛）、職（耺）、館（舘）、曜（旺）などがある。ただし、俗字が名字に使われている場合、患者の氏名その通りに書く。

②**代用字**：才と令を歳と齢の代用字にすると、意味が変わる。

③**簡略字**：もんがまえなどの漢字を簡略するのも良くない。例：門（门）、関（関）、歴（厂）など。

④**当て字**：亜細亜、他人事、何処、出鱈目、矢張りなど、なるべく使わない。ただし、無理矢理の「矢理」は、本来の意味から考えると遣るの変化した「遣り」である。国語辞典にも載っているし、慣用句として通用しているものもある。

5）接続詞の一般使用は平仮名で書く

何でも漢字で書けばいいというものではない。2010年の告示では、

副詞と接続詞の表記では次のようにされた。「副詞や連体詞（余り、恐らく、全て、全く、更に、甚だ、初めてなど）は漢字で書く。次のような副詞（かなり、ふと、やはり、よほど）は仮名で書く」。

また、「次のような接続詞（おって、かつ、したがって、ついては、ところが、ところで、また、ゆえに）は仮名で書く。「及び、並びに、又は、若しくは」の４語は漢字で書く。

ただし、新聞社はこれらを平仮名書きにしているので、学生は新聞社の基準に準じて書くのがいいだろう。

6）抽象表現は平仮名で、具象表現は漢字で書く

例：考えてみる。資料を見る。／考えていく。教室へ行く。／という。意見を言う。／思想があらわれる。姿を現す。／というもの。忘れ物。／言葉であらわす。思想を書き著すなど。

7）送り仮名は２種類ある

送り仮名の付け方は、常用漢字と同じく政府が告示している（1973年告示、1981年一部改正）。この告示が送り仮名の基準となっている。送り仮名には、例外がある。例えば、「行う」が基本形で「行なう」が許容とされている。作品全体にどちらかを統一して使う。

8）手書きや活字の字体の相違は、字体の違いではない

1981年の政府告示の常用漢字によると、字体の違いは「印刷上と手書き上のそれぞれの習慣の相違に基づく表現の差と見るべきものである。いずれも活字設計上の表現の差、すなわち、デザインの違いに属する事柄であって、字体の違いではないと考えられる」と許容範囲である。例：令と令、戸と戸、女と女、文と文、北と北、比と比など。その他、はね、とめ、はらい。偏とつくりがついているか、離れているかなど[38]。

9）漢字を覚える秘訣（分解・意味・こじつけ）

⑴漢字を分解する

①**疾病**：疾病は「しっぺい」と読む。「疒（やまい）」（广＝尸＝人の姿、冫＝傷）と「矢」に分解する。弓矢の傷＝疾。

②**分解**：角(つの)のある牛を刀でぶんかい。角のないのは馬（午後）。

③**罨法**：「罒」あみ＋大＋申の変形。昔、オムツは布でくるみ、紐で結んだ。だから上下が出る。

④**臀部**の「臀」は、殿＋月。体の名称には「肉月」が付く。

⑤**違う**：口を境に、「ヰ」上下が違うこと。

⑵漢字の意味を考える（「漢字辞典」で「成り立ち」を調べる）

①**牽**は常用漢字以外の漢字。分解すると、玄（糸）＋冖（くびき）＋牛＝引く。牽引（けんいん）。

②**辶**。中国で作られた辶は全てテンが二つだった（大腿）。上の点は頭、下の点は体、下は足を意味する。ただし、日本の常用漢字では辶のテンは一つにされた（進、迎）。ところが、2010年に追加された常用漢字のテンは二つ（謎、遡、遜）。

③**拳**。釆（シツ）＋手＝散らばった物を手で集めるという意味。握り拳。挙手と区別する。

④**積と績**：禾は稲の穂（米を収穫して袋に入れて積む）。綿(わた)を撚(よ)って作った経糸(たていと)と緯糸(よこいと)を組み合わせて布を織るのが成績。

⑤**学**と**常**の冠。學（子が家で両手を使って学ぶ）の略字が学（覚、厳、労）。小は人の体の略（当、賞、堂、尚、恙、削、掌）。

⑥**嫌**。兼は稲の穂「禾＋禾」二つ。あれこれ迷うこと。

⑶こじつける（想像力や創造力を働かせる）

①**箸**。割り箸にはご飯が付くから「テン」が付く。

②**嗅**。**口＋自＋犬。「自」は鼻**。犬は臭いを嗅ぐのが得意。

③**薄**。薄は植物のススキ。穂が出て種が飛ぶので、テンが付く。

④睫毛は、「しょうもう」と読む。まつ毛は消耗品（しょうもう）と覚える。

3．間違いやすい漢字

間違いやすい漢字を以下に挙げた。辞典でよく確かめて、漢字の知識を深める。特に間違いやすい漢字に★印をつけた。

［あ］ **挨拶**：「挨拶」は常用漢字。
挙げる：手を挙げる。例を挙げる。
温める：体・心が温まる。温かい言葉。**暖める**：部屋を暖める。
言う：ことばで言う。物を言う。言うまでもない。
いう：というように。といわれている。耳がガンガンいう。
★**意外**：思いのほか。**以外**：ある範囲の外。
頂く：食べ物・賞状など物は漢字で書く。歳暮を頂く。
いただく：お読みいただく。頂くは常用漢字にない読み方。
★**いまだに**：未（いま）だに（常用漢字以外の漢字）。「今だに」は誤り。
（授業を）**受**（う）ける。**授**（さず）ける
うなずく：頷くは常用漢字以外漢字。「うなづく」ではない。
冒す：病に冒される。**侵す**：権利を侵す。**犯す**：犯罪を犯す。
収：事を収める。**納**：税を納める。**修**：学問を修める。**治**：国を治める。

［か］ **回復**：病気、元気を回復する。**快復**：病気が快復する。リカバリーは回復と訳される。
★**にも拘**（かかわ）**らず**：関係なく。拘（こだ）わる。**関わる**：関係する。
頑（かたくな）**・頑**（かたく）**な**：辞典によって「な」の送り仮名が異なる。
葛藤：「葛」は俗字である。 「葛」は新しい常用漢字。
過程：プロセス（経過。手順）**課程**：カリキュラム（課程）
★**簡潔**：文章を簡単に書く。**完結**：完全に終わること。

★**完璧**：「土」ではない。「玉」である。「璧」は新しい常用漢字。
機会：「期会」ではない。**器械**：測定器械。**機械**：工作機械。
効く：薬が効く。宣伝が効く。口を利く。無理が利く。利き手。
救急：「急救」は誤り。
検診・健診：「検診」は検査のための診察。結核検診。
「健診」は「健康診断」。病気の予防・発見の診断。
後：その後。午後。終了後など。新聞社は「その后」を使わない。
★**講義**：「議」ではない。義＝正しい。義を講ずる＝講義
事：事に当たる・出来事（具象名詞）。ということ（抽象名詞：平仮名）。

[さ]★**歳**：年齢の「才」は代用字であるから使わないこと。
★**坐位・坐薬・坐骨・端坐・起坐・坐臥・便坐**：「坐」は動詞の「すわる」に、「座」は屋根の下のすわる場所に使われる。
最期：人生の最期。**最後**：物事の最後。
探す：目的物をたずねる。**捜す**：不明になった物をたずねる。
★**徐々**：除々は誤り。「徐」はゆるやかの意。
習得：漢字の習得。**修得**：単位の修得。**拾得**：拾得物。**収得**：株式の収得。
就：職に就く（つくりは犬でない）。尤は「もっとも」と読む。
漿膜：将に水ではない。將の略が将。将は肉を手に神前に進む人。統率者。漿はどろりとしたもの。酪漿。
清聴ありがとう：聴衆に対する敬意。「静」ではない。
分析：（「折」ではない）
腺：糸と月に注意。甲状腺、汗腺、分泌腺など。
専門：「問」ではない。「専門家には手（点）も口も出すな」
顫（せん）：振顫（振戦が使用されているが、本来の字は顫である）。

添う：患者に付き添う。忝＝天＋心の変形。**沿う**：計画に沿う。

掻痒：「掻」は蚤と手。かゆい。「痒」は羊と病い。痒は癢の略字。「瘡瘍（そうよう）」は腫れ物。瘡（そう）は傷。瘍（よう）は腫。

［た］ **尋ねる**：先生に尋ねる（訊ねる）。**訪ねる**：友人を訪ねる。

代：時代の範囲「90年代」。年齢の範囲「60代」。代金「洋服代」。

台：車や機械を数える。数量の範囲（百円台、八時台、60歳台、血圧、番号、人数、脈拍、血糖値、体温、呼吸数など）

体制：システム。研究体制。**態勢**：ポーズ。受入れ態勢。**体勢**：フォーム。体勢が崩れる。

★**達**：しんにゅうの上は「羊」である。

譬：譬（たと）えて言う。譬える。**例**：例えば。

探究：真理を探究。**探求**：美の探求。

稠：粘稠痰（ねんちょうたん）。稠＝禾（稲）＋周（田畑）＝作物がびっしりとつまった畑。粥や糊が濃いさま。

★**追究**：原因を追究。**追求**：利潤を追求。**追及**：責任を追及。

★**遣う**：「漢字を使う。漢字を遣う」とどちらでもいい。ただし、次の場合は「遣」を使う。小遣い。言葉遣い（「言葉使い」は誤り）。気遣い。心遣い。外国語を遣う。仮名遣い。人形遣い。使者を遣わす。金遣い。猿の遣い手。無駄遣い。筆遣い。声遣い。お遣い物。

使う：お使いをする。人使いがあらい。走り使い。言葉を使う。気を使う。魔法使い。箸使い。筆使い（ある辞典に記載）。

できる・出来：出来、出来事は漢字で書く。動詞は「できる」。

展：展開。展の下部は「衣」ではない。

［な］ **治る**：病気が治る。**直る**：故障が直る。癖を直す。

伸ばす：ゴム、しわ、髪、手足、才能、学力を伸ばす。
延ばす：支払い、決定、約束、仕事、命、足を延ばす。
伸びる：身長、成績が伸びる、うどんが伸びる。
延びる：生き延びる。
上（のぼ）る：頭に血が上る。話題に上る。坂を上る。
昇る：日、煙、地位が昇る。登る：山、木、演壇に登る。

[は]★話：名詞形は「し」を付けない。その話は。講師の話を。
話(はな)す：動詞形は「さ、し、す、せ、そ」を付ける。話さない。
話します。話す時。話せば。話そう。
例外：ただいまお話しの点は。ひそひそ話し。話し言葉。
★始める：（動詞）書き始める。働き始めた。勉強を始める。
始め：（名詞）始めの挨拶。仕事始め。年始の挨拶。
★初め：（名詞）最初。初めの内。書き初(ぞ)め。年の初め（年の始め）。
「初める」は誤り。
★恥ずかしい：送り仮名に注意。「恥（はじ）かしい」の誤読を
避けるため。「恥（はずか）しい」とする辞典がある。
★母：毋(ブ)は「なかれ」の意。毌(カン)は「つらぬく」の意。
早い：早く終わる。朝早く。早足。早口。
速い：脈が速い。呼吸が速い。速く走る。速く書く。
秘訣：おくの手。「秘決」ではない。
一つ：個数の時は漢数字で書く。二つ、三つ。
ひとつ：試みの意味では、平仮名で書く。ひとつやってみる。
★報・服：報告・内服。手書きに注意。つくりは「反」ではない。

[ま]★ますます：「益々」。「増々」は誤りである。
看取る：「見取る」ではない。

[や]　やる：遣る。謙遜語は「やってあげる。さしあげる」

よい：優良。品質が良い。

よい：善良。行儀が善い。

よい：好ましい。味が好い。

よい：しても宜い。するほうが宜い。

★よう：考えようがない。模様、同様などは漢字。

よく：本当に。良く似ている。よくあることだ。

よく：できる。能く考える。能く遊び、能く学べ。能くわかる。

[ら・わ]　齢：「令」は代用字である。年齢に「令」は使わない。

渡る：道を渡る。亙る：及ぶ。

★亘る：ある範囲に及ぶ。4日間にわたって開催。

[カタカナ表記で間違えやすいもの]

★ベッド bed：「ベット」は間違い。ベットは賭け事。

カルシウム calcium：カルシュームではない。

データ data：「データー」と延ばさない。

デイ・ケア day care：ディ・ケアではない。

ギプス gips：ドイツ語で石膏（せっこう）の意。「ギブス」は間違いである。

★ギャッチベッド：アメリカの外科医 Willis Dew. Gatch の名前が由来である。hospital bed ともいう。ギャッジは間違い。

レクリエーション recreation：リクリエーションとも書く。

レポート report：リポートとも書く。

リウマチ rheumatism：リューマチとも言う。

4．常用漢字に新たに追加された196字

政府は2010年11月30日に196字を追加した常用漢字（2,136字）を

告示した[39]。今回の改定では字体が問題となった。漢字の字体には、漢和辞典にある漢字（頰・塡・剝その他）と日本工業規格 JIS の漢字（頬・填・剥その他）がある。漢和辞典の字体が正字とされ、JIS の字体は「字体の許容」とされた。

2010 年以前発売のパソコンには、今回追加された常用漢字が入っていない。この場合は JIS 漢字が許容される。2010 年以降発売のパソコンには追加の常用漢字が入っているが、JIS 漢字は削除された（ただし、頬・填・剥が残っている）。追加された常用漢字の字体が変わったことを理解する必要がある。また、電子辞書でも 2010 年以降発売の機種は漢和辞典の字体が採用されている。

常用漢字（正字）：牙・葛・僅・叱・謎・餅・遡・煎・遜・溺・賭・箸・蔑・嘲・蔽・茨・捗・塡・剝・賭・頰

（字体に注意:「辶」の点が二つ。「月」の中が点。「叱る」は「七」など）

通用字体（正字）：痩・曽（これが常用漢字となった）。瘦・曾は常用漢字以外の漢字

通用字体：許容：牙・葛・僅・叱・謎・餅・遡・煎・遜・溺・賭・箸・蔑・嘲・蔽・茨・捗・填・剥・賭・頬

挨曖宛嵐畏萎椅彙茨咽　淫唄鬱怨媛艶旺岡臆俺
苛牙瓦楷潰諧崖蓋骸柿　顎葛釜鎌韓玩伎亀毀畿
臼嗅巾僅錦惧串窟熊詣　憬稽隙桁拳鍵舷股虎錮
勾梗喉乞傲駒頃痕沙挫　采塞埼柵刹拶斬恣摯餌
鹿叱嫉腫呪袖羞蹴憧拭　尻芯腎須裾凄醒脊戚煎
羨腺詮箋膳狙遡曽爽痩　踪捉遜汰唾堆戴誰旦綻
緻酎貼嘲捗椎爪鶴諦溺　塡妬賭藤瞳栃頓貪丼那
奈梨謎鍋匂虹捻罵剝箸　氾汎阪斑眉膝肘阜訃蔽
餅璧蔑哺蜂貌頰睦勃昧　枕蜜冥麺冶弥闇喩湧妖
瘍沃拉辣藍璃慄侶瞭瑠　呂賂弄籠麓脇

（アンダーラインのある漢字は、字体に注意）

新しく常用漢字となった医学・看護学の専門漢字

身体表現の漢字：牙・骸・顎・喉・臼・嗅・拳・股・痕・尻・腎・脊・腺・唾・椎・爪・瞳・眉・膝・肘・頬・脇

使用が多い漢字：萎・彙・鬱・潰・梗・塞・腫・瘍・拭・箋・膳・爽・捉・戴・貼・葛・藤・捻・挫・斑・勃・枕・湧・呂・律

「書体」と「字体」の違い

「書体」は、楷書、草書、明朝、ゴシックなど書風を意味する。「字体」は、新字、旧字、正字、俗字など、他の字と区別される字形を意味する。

練習課題

1．誤字の考察（どんな漢字をなぜ間違えたのか。正しく覚える方法を考える）

＊ 134 頁の読み　あなたはいくつ読めましたか

いやす、うっせき、うなずく、うれしい、えんげ（か）、おとしめる、むつき（おむつのこと）、かくせい、がいぜんせい、がしょう、かっとう、せいとん、しんせき、つなぐ、へいそく、びまん、びらん、まつげ（しょうもう）、らせん、らち、かんかい、せっせきい

Note　「間違いやすい」か、「間違えやすい」か

政府の「告示」（13 章参照）にはこの基準が示されていない。そのために、新聞社や出版社は、「い」と「え」の両方を使っている。また、この判別を避けて「誤りやすい漢字」や「間違い漢字」としている出版社がある。講談社発行『日本国語大辞典』の「やすい」の項に、「まちがいやすい」の用例がある。

「え」の根拠：「～える」（教える）の言葉に「やすい」が付く場合、「～え+やすい」になる。だから「間違えやすい」になる。**「い」の根拠**：「る」を取った「教え」は名詞となり、辞典に載っている。しかし「間違える」だけは「る」を取った場合、「間違え」という名詞はないので「間違い」に変化する。だから「間違いやすい」になる。

13章 現代仮名遣いと送り仮名の論理

政府は1946（昭和21）年に「旧仮名遣い（歴史的仮名遣い）」を告示によって廃止し、「現代仮名遣い」に改定した（1986年に改定）。また1973（昭和48）年に「送り仮名の付け方」も告示した（1981年に一部改正）。この二つの告示は、現代仮名遣いと送り仮名の付け方の「拠り所を示す」としている。これらが、仮名遣いと送り仮名の基準となっている。本章では、現代仮名遣いとその問題、送り仮名の法則についておおよそを研究する。助詞の「づつ」は1946（昭和21）年に「ずつ」に変更された。これを間違いやすいのは変更前の文学作品の影響と思われる。辞典が不可欠である。

1．現代仮名遣いの論理

1）「旧仮名遣い（歴史的仮名遣い）」とは何か

歴史的仮名遣いは、1946年に「現代仮名遣い」に変更されるまで、一般社会の基準として使われていた仮名である。現代語にはない仮名、ゑ（え）、ゐ（い）があった。また音韻と仮名が一致していないのが特徴である。「ひ」を「い」、「へ」を「え」、「ほ」を「お」などと発音した。思ひ出（思い出）、ゐる（いる）、植ゑる（植へる）、をとこ（男）、とをか（十日）、あほぐ（仰ぐ）、こほり（氷）、あふぐ（仰ぐ）、かふ（買）、でせう（でしょう）、くわじ（火事）などがある。　（『官報』1981年7月1日号外参照）[40)]

全ての仮名を48字か47字で綴った七五調の歌がある。これは手習いに用いられた。

①灘波津の歌：灘波津に　咲くや此の花　冬ごもり　今は春べと咲くや此の花。　（万葉仮名で書かれた。奈良時代 710-794 の作）

②阿女都千の詞：天、地、星、空、山、川、峰、谷、雲、霧、室、苔、人、犬、上、末（すゑ）、硫黄（ゆわ）、猿、生ふせよ、榎の枝を馴れ居（ゐ）て　（794-1192 平安時代初期の作）

③大為爾歌：田居（ゐ）に出で、菜摘む我をぞ、君召すと、求食り追ひ往く、山城の、打酔へる兒ら、藻干せよ、得船繋けぬ。

（阿女都千の詞よりは後に、いろは歌より前の作）

④いろは歌：いろはにほへとちりぬるを　わかよたれそつねならむ　うゐのおくやまけふこえて　あさきゆめみしゑひもせす（色は匂へど散りぬるを　我世誰ぞ常ならむ　有為の奥山今日越えて　浅き夢見じ酔ひもせず）。　（1079 年万葉仮名で書かれたもの）

⑤浅香山の歌：こうろきの　すみにあさかやまのふで、ゆきのしたがさねの、うすように、おもひのいろを　かきつらねける。

（室町時代 1338-1573 の作）

「いろは歌」は、後に仮名の手習い用の手本、辞書の語彙の配列の順序、歴史的仮名遣いにおける仮名の使い分けの根拠として用いられた。

2）現代仮名遣いの特徴

現代仮名遣いでは､同じ母音を持つ子音を集めて「あいうえお段」の５段に分けた。直音（かきくけこ、が、だ、ばなど）、拗音（きゃ、みゃ、ぴゃ、ぎゃ、じゃなど）、撥音（ん）、促音（っ）、長音（ああ、にい、くうなど）によって表記するとした。また原則として、音韻と仮名を一致するようにした。しかし、音韻と仮名が一致しない例外がある。これらの例外を理解することが、仮名遣いを学習する上で重要になる。例えば、「は」と「わ」、「お」と「を」の使い分け、長音の「い」と「え」､「お」と「う」の区別などである。また「じ」

と「ぢ」の使い分けも複雑である。

3）長音の表記方法の問題点

政府の告示した長音の表記方法は、エ段とオ段がわかりにくい。

※ア段の長音では「あ」を添える。（例：おかあさん）

※イ段の長音では「い」を添える。（例：にいさん）

※ウ段の長音では「う」を添える。（例：くうき）

※エ段の長音では「え」を添える。（例：ねえさん）

※オ段の長音では「う」を添える。（例：おとうさん）

①エ段の「基本が少数で、例外が多数」は、わかりにくい

エ段の長音では、「え」を添える語は「ねえ、ねえさん、ええ、へえ、めえ、べえごま、てめえ、あかんべえ」の８語だけで、少ない。「い」を添える例外は、映、経、政、丁のほか多数ある。この場合では、「エ段では『い』を添える。ただし、「え」を添える例外がある」とした方が合理的でわかりやすい。

文部科学省の「学習指導要領」は、政府の「告示」に則って作られている。国語の検定教科書もこれに準拠している。公立小学校教師は、教科書と学習指導要領に従って、児童らに「エ段の長音は“え”を添える」と教える。すると多くの児童は「せんせえ、せえと、めえれえ」と書く。しかし、先生から赤ペンで“い”と

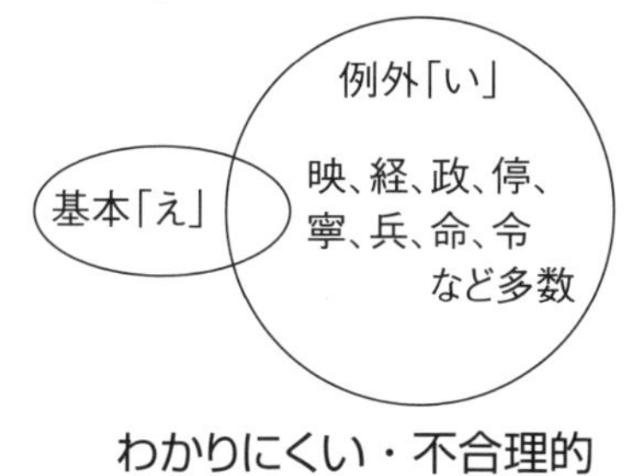

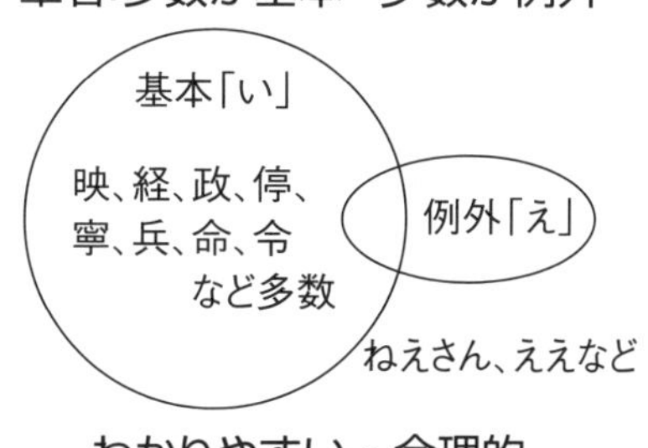

訂正される。児童らは「先生は“え”と言ったのにどうして？」と理解できないままに平仮名の学習は進む。ここに国語嫌いの原因の一つがある。

②オ段の例外全部を表記していないために、「お」か「う」かの判別ができない

オ段の長音では「お」と「う」のどちらを添えるか調べてみると、「う」を添える語の方が多い。多い「う」を基本とし、少ない「お」を例外とするのは学習する上でも合理的である。しかし「告示」のオ段の長音の説明では、例外の「お」を添える語を全て表記してはいない。そのため、「お」を添えるかどうか、全ての語の判別ができない。「お」か「う」か判別できるように例外を全て表記する必要がある。

狼（おおかみ）、仰（おお）せ、公（おおやけ）、氷（こおり）、郡（こおり）、こおろぎ、頬（ほお）、朴（ほお）、ほおずき、炎（ほのお）、十（とお）、憤（いきどお）る、覆（おお）う、凍（こお）る、しおおせる、通（とお）る、滞（とどこお）る、催（もよお）す、愛（いと）しい、多（おお）い、大（おお）きい、遠（とお）い、概（おおむ）ね、おおよそ

（告示が表記したのは 24 語のみ）

「告示」の例外に記されていない、雄々（おお）しい、おおらか、鳳（おおとり）、オオバコ、ほおける、おおざと（阝）、おお！、おおい！（呼び掛け）の8語は「お」を添える語である。しかし、告示の表記では「う」なのか「お」なのか判別できない。筆者の調査によれば、現代の一般的な語の中で例外の「お」は 32 語である。

多数
基本
「う」
王、工、掃、灯、
農、放、毛、用、
廊、そのほか
少数
例外「お」

カタカナの長音記号は「エーガ」「ソージ」にあるように「ー」である。

これは平仮名では「えいが」「そうじ」と書く。しかし、小学校低学年児童は、長音記号としての「い」と「う」を理解できない場合に、「えイが」「そウじ」と拾い読みすることがある。エ段とオ段の長音記号は、高学年になると漢字の読みとして「映画(えいが)、掃除(そうじ)」と指導される。発音は「え」か「い」か、「お」か「う」か、曖昧なままに学習が進められる。ここにも国語嫌いの原因の一つがある。エ段とオ段の長音表記では、音と表記が異なる実態の変更は不可能である。日本語の矛盾として受け入れて、合理的に理解して子ども達に伝えたいものである。

「告示」は「前書」の７で「ローマ字で表す場合の決まりとは一致しない」と断っている。このために一致しない「オ段」の長音表記と、無理に一致させた「エ段」の長音表記はわかりにくくなっている。

4）長音表記の考え方　(参考：『かな文字の教え方』須田清　麦書房　1978)

ア、イ、ウ段の長音表記は音韻と仮名が一致しているが、エ段とオ段は音韻と仮名が一致していない。この二つの長音表記を留守番に来たおばさんに譬えて教えるとわかりやすい。

ア段、イ段、ウ段の長音表記は、母音を使う。

◆a＝「あ」である。a , aa＝「ああ」である。

＊ああ　かあさん　さあかす　たあざん　なあに
aa　kaasan　saakasu　taazan　naani

はあもにか　まあじゃん
haamonika　maazyan

やある　らあめん　わあるど
yaaru　raamen　waarudo

◆i = 「い」である。よって、i , ii = 「いい」である。

＊いい　きい　しいと　ちいず　にいさん
ii　kii　siito　tiizu　niisan

ひいらぎ　みいら　りいだあ
hiiragi　miira　riidaa

い

◆u = 「う」である。よって、u , uu = 「うう」である。

う

＊うう　くうき　すうじ　つうしん
uu　kuuki　suuzi　tuusin

ぬうど　ふうせん　むうど　ゆうれい　るうむ
nuudo　huusen　muudo　yuurei　ruumu

エ段の長音表記は基本的に「い」を使う。

◆e = 「え」である。よってe , ee = 「ええ」となるはずだが、
e , ee = 「えい」と表記する。この「い」は長音記号である。

えいきょう　けいざい　せいたあ　ていし
eekyoo　keezai　seetaa　teesi

ねいぶる　へいたい　めいわく　れいとう
neebul　heetai　meewaku　reetoo

い
「い」のおばさんが
てつだいにきた

「え」を使う例外がある

①ねえ　②ねえさん　③ええ　④てめえ　⑤（あかん）べえ　⑥めえ
nee　neesan　ee　temee　bee　mee

⑦へえ　⑧べえごま
hee　beegoma

ねえ
ねえさん
え
ええ
「え」のおばさんは
おつかいに行った

オ段の長音表記は基本的に「う」を使う。

◆ o ＝「お」である。よって o，oo ＝おお、となるはずだが、o，oo ＝おう、と表記する。この「う」は長音記号である。

おうさま　こうじ　そうじ　とうだい　のうか　ほうそう
oosama　koozi　soozi　toodai　nooka　hoosoo

もうふ　ようじん　ろうか　そう、そんなこともありました。
moohu　yoozin　rooka　soo

「う」のおばさんが
てつだいにきた

「お」のおばさんは
おでかけした

「お」を使う例外がある

①遠(とお)い　②大(おお)きい　③氷(こおり)　④多(おお)い　⑤狼(おおかみ)　⑥十(とお)　⑦通(とお)る　⑧公(おおやけ)
⑨炎(ほのお)　⑩仰(おお)せ　⑪凍(こお)る　⑫滞(とどこお)る　⑬催(もよお)す　⑭憤(いきどお)る　⑮ほおずき
⑯おおよそ　⑰概(おおむ)ね　⑱覆(おお)う　⑲しおおす　⑳おおざと（阝）
㉑雄(おお)々しい　㉒鳳(おおとり)　鵬(おおとり)　㉓愛(いとお)しむ　㉔ほおける　㉕朴(ほお)の木　㉖頰(ほお)
㉗郡(こおり)　㉘おおらか　㉙車前草(おおばこ)　㉚こおろぎ　㉛おお！　㉜おおい！

「お」を使う理由：旧仮名遣いでは、遠いを「とほい」と表記していたのを現代仮名遣いにした時に「ほ」を「お」に変更したためである。常用漢字では、十回は「じっかい」という読みしかなかったが、2010年の改正によって「じゅっかい」の読みが加えらえた。

小学生に必要な次の７語は大人でも覚えておく必要がある。
①とおくの　②おおきな　③こおりのうえを　④おおくの
⑤おおかみ　⑥とおずつ　⑦とおる

5）「は」と「わ」の使い分け

「告示」は「表記の慣習を尊重して次のように書く」としている。

①助詞は「は」と書く

こんにちは　こんばんは　山では雪が　あるいは　または　もしくは　いずれは　ついては　ではさようなら　恐らくは　願わくは　これはこれ　悪天候ものかは

②次のようなものは、上記の例にあたらないものとする。

きれいだわ　来るわ来るわ　雨も降るわ風も吹くわ　いまわの際　すわ一大事

6）動詞の「いう（言う）」は、「いう」と書く

「いう」と平仮名で書くのは、次のような場合である。と、いったらない。億という予算。とはいえ。いっても。床がミシミシいった。いうまでもない。昔々あったという。どういうふうに。人というもの。こういう話。AといいBといい。

「告示」の例では「物を（言）う」にカッコをつけてある。上の例の中でこれだけは「物を言う」でもいい。「言う」の過去形や尊敬語などは「言った。言われた。言ってごらん。言うまでもない」と漢字で書く。「言う」は現代語の標準的な書き方である。

7）次のような語は、「ぢ」「づ」を用いて書く

①同音の連呼によって生じた「ぢ」「づ」

例　ちぢみ（縮）　ちぢむ　ちぢれる　ちぢこまる

　　つづく（続）　つづる（綴）　つづみ（鼓）

例外「いちじく」「いちじるしい」は、この例にあたらない。

②二重の連合によって生じた「ぢ」「づ」

鼻血（はなぢ）　添乳（そえぢ）　底力（そこぢから）　入知恵（いれぢえ）　ちゃのみぢゃわん　間近（まぢか）　こぢんまり　近々（ちかぢか）　ちりぢり　三日月（みかづき）　ひげづら　小遣い（こづかい）　心尽し（こころづくし）　手作り（てづくり）　ことづて　はたらきづめ　道連れ（みちづれ）　かたづく　もとづく

うらづける　つくづく

③二語に分解しにくいものは「じ」「ず」を用いて書く

例　うな**ずく**　かたず（固唾）　きずな（絆）　ほおずき　おとずれる（訪）　つま**ずく**　ひざまずく　さしずめ　でずっぱり　うでずく　くろずくめ　ひとり**ずつ**　ゆうずう（融通）　せかいじゅう（世界中）　いなずま（稲妻）

例外　「せかいぢゅう」「いなづま」は「ぢ」「づ」を用いて書くこともできる。

注意　次の語は、もともと濁っているので、「じ」「ず」で書く。
じめん（地面）　ぬのじ（布地）　ずが（図画）　りゃくず（略図）

（『官報』1986年7月1日より）[41]

2．送り仮名の付け方の論理

古代の日本語には文字がなかった。まず漢字が中国から入ってきた。やがて漢字から仮名が発明されて、仮名だけで日本語の音に合わせた文字を書き表すようになった。それから、漢字と仮名を組み合わせて日本語を書き表すようになった。この漢字に付ける仮名を送り仮名と言う。

漢字には訓読みの多い「生、交、初、苦など」漢字がある。「生」は「生(い)きる　生(い)かす　生(い)ける　生(う)まれる　生(う)む　生(お)う　生(は)える　生(は)やす　生(き)　生(なま)」と読む。送り仮名は漢字の読みを規定し、言葉の意味を明らかにするために漢字の後に付けるものと考えられる。また送り仮名には「脅(おど)かす。脅(おびや)かす」とどちらも「かす」で、漢字の読みが明らかではないものがある。その他「勝(か)った。勝(まさ)った。辛(つら)い。辛(から)い。行(い)った。行(おこな)った。直(す)ぐに。直(じか)に。直(じき)に」などがある。前後の語句で読みを判別しなければならないが難しい。振り仮名を付けるか、「勝（まさ）った」と書く。

この節では「告示」が示した送り仮名の論理について考察する。送り仮名の通則は7つある。しかし、例外、許容、注意が多くあるので難しい。これらは暗記が困難なので、いつも辞典で確かめる必要がある。

1）通則1：単独の語で、活用のある語の場合は、活用語尾を送る

例　①憤る　承る　書く　実る　催す　生きる　陥れる　考える
　　助ける　荒い　潔い　賢い　濃い　主だ

例外①語幹が「し」で終わる形容詞は、「し」から送る。
　　著しい　惜しい　悔しい　恋しい　珍しい　新しい　逞(たくま)しい
　②活用語尾の前に「か」「やか」「らか」を含む形容動詞は、その音節から送る。
　　暖かだ　静かだ　健やかだ　和やかだ　明らかだ　柔らかだ
　③次の語は、次に示すように送る。
　　明らむ　味わう　哀れむ　慈しむ　教わる　脅(おど)かす　脅(おびや)かす
　　食らう　異なる　逆らう　捕まる　群がる　和らぐ　揺する
　　明るい　危ない　危うい　大きい　少ない　小さい　冷たい
　　平たい　新ただ　同じだ　盛んだ　平らだ　懇(ねんご)ろだ　惨めだ
　　哀れだ　幸いだ　幸せだ　巧みだ

許容①次の語は、活用語尾の前の音節から送ることができる。
　　表す（表わす）　著す（著わす）　現れる（現われる）
　　行う（行なう）　断る（断わる）　賜(たまわ)る（賜わる）

注意①語幹と語尾の区別がつかない動詞は「着る」「寝る」「来る」などのように送る。

2）通則2：単独の語で活用のある場合、活用語尾以外の部分に他の語を含む語は、含まれている語の送り仮名の付け方によって送る

例　①動詞の活用形またはそれに準ずるものを含むもの。
　　動かす　照らす　語らう　計らう　向かう　浮かぶ　生まれる　押さえる　捕らえる　勇ましい　輝かしい　喜ばしい
　　晴れやかだ　及ぼす　積もる　聞こえる　頼もしい　起こる
　　落とす　暮らす　冷やす　当たる　終わる　変わる　集まる

定まる　連なる　交わる　混ざる・混じる　恐ろしい

②形容詞・形容動詞の語幹を含むもの。

重んずる　若やぐ　怪しむ　悲しむ　苦しがる　確かめる　重たい　憎らしい　古めかしい　細かい　柔らかい　清らかだ　高らかだ　寂しげだ

③名詞を含むもの。汗ばむ　先んずる　春めく　後ろめたい

許容①読み間違える恐れのない場合は、送り仮名を省くことができる。

浮かぶ（浮ぶ）　生まれる（生れる）　押さえる（押える）　捕らえる（捕える）　晴れやかだ（晴やかだ）　積もる（積る）　聞こえる（聞える）　起こる（起る）　落とす（落す）　暮らす（暮す）　当たる（当る）　終わる（終る）　変わる（変る）

注意①次の語は［　］の中に示す語を含むものとは考えず、通則1によるものとする。

明るい［明ける］　荒い［荒れる］　悔しい［悔いる］　恋しい［恋（こ）う］

3）通則3：単独の語で活用のない語の名詞は送り仮名を付けない

例　①　月　鳥　花　山　男　女　彼　何

例外①次の語は、最後の音節を送る。

辺り　哀れ　勢い　幾ら　後ろ　傍ら　幸い　幸せ　互い　便り　半ば　情け　斜め　独り　誉れ　自ら　災い

②数をかぞえる「つ」を含む名詞は「つ」を送る。

一つ　二つ　三つ　幾つ

4）通則4：単独の語で活用のない語の、活用のある語から転じた名詞及び活用のある語に接尾語が付いて名詞になったものは、もとの語の送り仮名の付け方によって送る

例　①活用のある語から転じたもの。

動き　仰せ　恐れ　薫り　曇り　調べ　届け　願い　晴れ
当たり　代わり　向かい　狩り　答え　問い　祭り　群れ
憩い　愁(うれ)い　憂い　極み　初め　近く　遠く

②「さ」「み」「げ」などの接尾語が付いたもの。

暑さ　大きさ　正しさ　確かさ　明るみ　重み　惜しげ

例外①次の語は、送り仮名を付けない。

謡(うたい)　虞(おそれ)　趣　氷　印　頂　帯　畳　卸　煙　恋　志　次　隣
富　恥　**話**　光　舞　折　**係**　掛（かかり）　組　肥(こえ)　並（なみ）　巻(まき)　割　（虞：心配、気遣いの意）

注意①ここに掲げた「組」は「花の組」「赤の組」などのように使った場合の「くみ」である。例えば「活字の組みがゆるむ」場合の「くみ」を意味するものではない。「光り」「折り」「係り」なども、動詞の意識が残っているような使い方の場合は送り仮名を付ける。

許容①読み間違える恐れのない場合は、送り仮名を省くことができる。

曇り（曇）　届け（届）　願い（願）　晴れ（晴）　当たり（当り）　代わり（代り）　向かい（向い）　狩り（狩）　答え（答）
問い（問）　祭り（祭）　群れ（群）　憩い（憩）

5）通則5：単独の語で活用のない語、副詞・連体詞・接続詞は、最後の音節を送る

例　①必ず　更に　少し　既に　再び　全く　最も　来る　去る
及び　且つ　但し

例外①明るく　大いに　直ちに　並びに　若しくは

②「又」は送り仮名を付けない。

③他の語を含む語は、含まれている語の送り仮名の付け方によって送る。

併せて　至って　恐らく　従って　絶えず　例えば　努めて　辛うじて　少なくとも　互いに　必ずしも

6）通則6：複合の語の送り仮名は、その複合の語を書き表す漢字の、それぞれの音訓を用いた単独の語の送り仮名の付け方による

例　①活用のある語

書き抜く　流れ込む　申し込む　打ち合わせる　向かい合わせる　長引く　若返る　裏切る　旅立つ　聞き苦しい　薄暗い　草深い　心細い　待ち遠しい　若々しい　気軽だ

②活用のない語

石橋　竹馬　山津波　後ろ姿　斜め左　花便り　独り言　卸商　目印　田植え　封切り　物知り　落書き　雨上がり　墓参り　日当たり　夜明かし　先駆け　巣立ち　手渡し　入り江　飛び火　教え子　生き物　落ち葉　預かり金

注意①「こけら落とし」「さび止め」「洗いざらし」「打ちひも」のように、前または後ろの部分を仮名で書く場合は、他の部分については、単独の語の送り仮名の付け方による。

7）通則7：複合の語の内、次のような名詞は、慣用に従って、送り仮名を付けない。

①特定の領域の語で、慣用が固定していると認められるもの。

ア．地位・身分・役職等の名：関取　頭取　取締役　事務取扱

イ．工芸品の名に用いられた語：博多織、型絵染、春慶塗(しゅんけいぬり)、鎌倉彫、備前焼

ウ．その他：書留　気付　切手　消印　小包　振替　切符　踏切　請負　売値　買値　仲買　歩合　両替　割引　組合　手当　倉敷料　作付面積　売上高　貸付金　借入金　繰越金　小売商　積立金　取扱所　取扱注意　乗組員　引受人　引受時刻　引換券　振出人　**待合室**　見積書　**申込書**

②一般に、慣用が固定していると認められるもの。

奥書(おくがき)　木立　子守　献立　座敷　試合　字引　場合　羽織
葉巻　番組　番付　日付　水引　物置　物語　役割　屋敷
夕立　割合　合図　合間　植木　置物　織物　貸家　敷石
敷地　敷物　立場　建物　並木　巻紙　**受付**　受取　浮世絵

③「常用漢字表」の送り仮名の付け方が問題となる次の語は、次のようにする。

ア．浮つく　お巡りさん　差し支(つか)える　五月晴れ　立ち退く
手伝う　最寄り

イ．次の語は送り仮名を省くことができる。
差し支える(差支える)　五月晴れ(五月晴)　立ち退く(立退く)

ウ．次の語は送り仮名を付けない。
息吹(いぶき)　桟敷(さじき)　時雨　築山(つきやま)　名残(なごり)　雪崩(なだれ)　吹雪　迷子　行方(ゆくえ)

(『官報』1986年7月1日より)[42)]

上記の「ウ」の送り仮名は例外である。送り仮名の付け方の多い順は、(1) 看取(みと)り、居残り、仕送り、墓参り、見知りなど、(2) 仕切(り)、火祭(り)(カッコ内は省くことができる)など、(3) 馴染(なじみ)、馴染むなど、(4) 名残などである。

「現代仮名遣い」と「送り仮名」は、日本語で文章を書く場合の基本的な規則の一つである。これらは政府が告示したものであるが欠点がある。これを克服するようにして文章を書くならば、より洗練された日本語を綴ることが可能になるだろう。また、後輩へ文章指導をする際に自信を持って説明できる知識として役立つだろう。この13章にも洗練された日本語の文章を書く際の秘訣(ひけつ)が収められている。

練習課題

1．書くことに対する意識の変化の考察（自己評価）

出題意図：これまで学んできて、書くことがどう変化したかを自己評価しなさい。あなたの目標の達成度を確かめなさい。
レポートには前書きと後書きを付ける。
前書き例：講義が終盤に差し掛かったので、最終評価を行なう。まず、書くことに関する自分の問題点と目標を述べる。そして、実践したことを説明してから、目標への到達度を評価する。そこから、どんな学習方法が役に立ったかということと今後の課題について述べる。
本論：問題点・目標・実践・問題の結果・目標の到達度を書いた後、役に立った学習方法について述べる。今後の課題は、「この教科書を読み返す」「これからのレポート課題に積極的に取り組む」「新しい目標を設定して挑戦する」ことなどを書く。
後書き例：目標を設定することとその達成に向けての努力の大切さがよくわかった。こうすれば、成長していけるのだ。これは、自分の問題を解決する方法だけではなく、患者やほかの人々の問題解決を助ける時にも参考になると思った。

Letter

「裏急後重」は中国後漢時代（25年）の『難経の研究』に収められた。1400年後、日本の『和漢音釋書言考節用集』に載った。『漢方医語辞典』（1968年）には、「裏急とは腹裏急痛なり。後重とは肛重なり」とある。

2000年秋、筆者は京都府看護専修学校で論理学の講義をした。学生だった石田正人さんはこれを調べていた。「不思議な言葉の響きから語源を調べることにした。あちこちの図書館を歩き回って調査は半年もかかった」とのことだった（資料を快く提供していただきました。石田さんに感謝します）。

14章 情報から論理的に意味を読み取る

1．主語と述語、分析などによって意味を読み取る

情報には、場面情報・会話情報・文字情報がある。ある場面で、人とひととの関わりがあって、会話が為される。この場面情報の意味を論理的に読み取るために、情報を書く場合と同じような思考が為される。その後で、その場面の意味が言葉や文字によって表現される。本節のキーワードは、主語、述語、帰納（きのう）、演繹（えんえき）、分析である。

1）場面から意味を読み取る

看護学生が実習で直面する場面情報には、病室・検査室・手術室・その他がある。ここには、看護を受ける人がいて、医療者（医師・看護師・助産師・検査技師・リハビリテーション技師など）がいる。そして、診療・治療・看護・検査・リハビリなどの情報がある。

実習生はこれらの場面から、知識・技術・動き・コミュニケーションの取り方などの情報を得る。病室での患者がいる場面の意味を五感（視覚・聴覚・触覚・嗅覚・味覚）で、眼で総合的に、皮膚で熱、耳で音、鼻で臭い、舌で食味の意味を読み取る。

情報の基本は、患者や看護師が「言った言葉」「為した行為」「整えた身の回りの状態」の３点である。ただし、言葉を発せない患者には、握手や言葉によらないコミュニケーションによる読み取りが必要となる。

2）１文で意味を読み取る

場面情報・会話情報・文字情報の意味を読み取るために、主語と述語（誰が、何をした）を見つけ出す。これが意味を読み取る際の

秘訣（ひけつ）である。

(1)　単文で意味を読み取る

単文は主語・述語が一組ある文である。例えば「患者が自力で食事した」という看護援助場面の意味を読み取ると、主語は「患者」で、述語は「食事した」である。だから、主語＋述語を見つけて、その情報の意味を理解する。業務の引継ぎの申し送りは「（主語）誰が、（述語）何をした。あるいはどうだ」と言葉で行なわれる。「A さんが B さんに言った」と「B さんが A さんに言った」では意味が異なる。だから、主語と述語を正確に読み取る。この時に「誰が」という主語が省略されることがある。省略された主語を確認したい時には尋ねて確かめる。

練習1：次の場面情報の主語と述語を見つけて○で囲みなさい。

例文：看護師は傍らで見守りながら援助した。　(解答は p.167)

(2)　重文で意味を読み取る

例：患者は辛い心の内を話し、看護師は心を傾けてその内容を聴いた。

重文は、一つの文中に二つの主語述語が存在する。この場合は二重線を書き込み句点で切る。すると意味が明確になる。「話し、」→「話した」。（例文の前半の主語は「患者は」で、述語は「話した」、後半の主語は「看護師は」、述語は「聴いた」である）

練習2：次の場面情報の主語と述語を見つけて○で囲みなさい。

例文：新人看護師は「わかりません」が言えないと答え、先輩看護師は「学校で習ったから知っているでしょう」と言った。

(3)　複文で意味を読み取る

複文は主節と従属節で構成されている。この文の根幹は主節の主語・述語である。従属節の中にも主語と述語がある。複文の場合は「……と、」という条件や限定を与えるものなので文を切らない。切ると意味が変わってしまう。〈　〉内が従属節である。

例：スタッフは〈急患が来る〉と思った。→主語：スタッフは
　述語：思った

例：〈冬になると〉、流感の患者が増える。→主語：患者が　述語：
　増える

練習3：次の文の主語と述語を○で、従属節を〈　〉で囲みなさい。

　彼は慣習や伝統を重んじて行動するので伝統思考型だと言われる。

(4) 肯定文・否定文によって意味を読み取る

①（肯定）：〜〜は……である　　意味が明確。

②（否定）：〜〜は……ではない　意味が明確。

③（推定）：〜〜は……だろう　　意味が曖昧。

④（疑問）：〜〜は……だろうか　意味が曖昧。

肯定文：同意する、認める、価値があると判断する文。例：看護学は実践科学である。

否定文：そうでないと打ち消す文。主語と述語の結びつきを排斥する文。
例：化学は実践科学ではない。

推定文：完全な調査を行なわず、一部の例から全体がそうであると考える文。
推定には誤りの可能性がある。

疑問文：疑って質問している文。書き手が判断を読み手に押し付けている無責任な文。

　文字情報は事実や理論を述べるものであるから、肯定文と否定文を使って論を展開する。ところで、推定文と疑問文を使った論述は曖昧である。もし使った場合はその解答を付け加えて論述を明確にする。読者は推定文と疑問文の意味を正確に読み取ることはできない。削除して読み取りの対象から除外する。情報を受ける場合も送る場合も、一つだけの情報で推測して判断をしない。

複数の情報を集めて事実を確認する。その際に不必要な情報も入ることがあるので情報収集は注意深く行なう。

(5) 長文から意味を読み取る

会話情報において、簡潔に説明ができず話が長くなる患者もいる。そんな時には、主語･述語の「誰が、した」のほかに「いつ、どこで、何を、なぜ、どのように」に着目して情報を読み取る。長文で書かれた憲法・法律文・書籍などがある。これらの長文は主語と述語を明らかにすれば意味の根幹を読み取ることが可能になる。

3）複数の文から分析と推測によって意味を読み取る

一つの文からの意味の読み取りを習得したら、次は複数の文によって表される意味の読み取りを練習する。

(1) 三段論法による意味の読み取り

三段論法の１段目は、一般論で広い意味（抽象）を述べる。２段目は、狭くして個人（具象）に限定する。３段目は、その人の問題点の意味を説明する。三段論法は「M = P である。S = M である。ゆえに S = P である」の形をとる。

練習４：次の１段目と２段目から、３段目の意味を読み取りなさい。

１段：パーキンソン病は進行性の病気である。（座学で一般論を学ぶ）

２段：A さんはパーキンソン病の治療している。（実習で A さんを受け持つ）

３段：　（A さんの問題点を挙げる）

１段：看護学校では必修科目に実習がある。

２段：B さんは看護学生である。

３段：

(2) 演繹分析と帰納分析による意味の読み取り

文字･言語情報を読み取るという情報理解は**演繹**（えんえき）である。文字･言語情報の読み取りは、その情報を体験に翻訳する作業である。図にすると正三角形になる。演繹分析は一般原理から**特殊原理**を導き出す分析である。

一方、場面情報を読み取るという情報理解は**帰納**（きのう）である。大量の場面情報を文字化するのはこれらを文字に翻訳する作業である。図にすると逆三角形になる。広い部分は体験情報、狭い部分は文字情報である。帰納分析は複数の要素から**一般原理**を導き出す分析である。

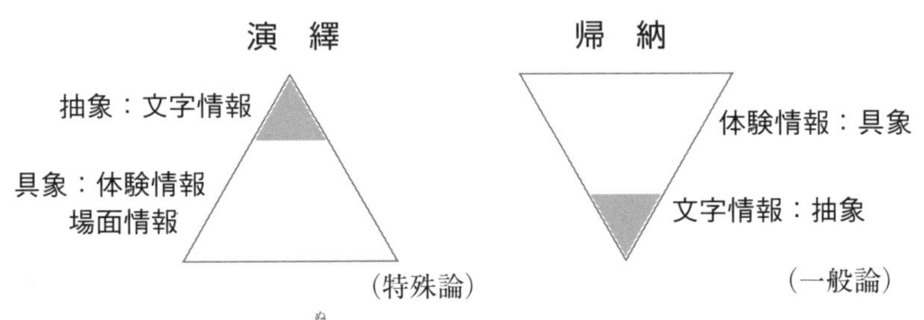

抽象：事物や表象から性質を抽（ぬ）き離すこと（反対は具象）。「この授業は文章を書く練習に役立った」は具象表現。「この授業は有意義だった」は抽象表現。
帰納：具体的事実から一般的な法則を導き出す。→食事・清潔・排泄の援助は看護の基本である。
演繹：意味を押し広げて説明する。例；看護は援助であるから、苦難の意味付けは看護援助の一つである。
分析：物事を分解して、成分、要素、側面を明らかにする。→人間＝頭の知性、胸の思いやり、手の技術。

(3) 帰納分析と演繹分析による意味の読み取り

意味の読み取りには、帰納と演繹の両方を使う。これは看護問題の分析にも応用する。

例：CさんはⅡ型糖尿病で治療して半年である。インスリン注射を看護師にしてもらっている。今回、教育指導を受けることを目的に入院した。学生のDさんが実習でCさんを受け持った。Cさんは「病院食だけではおなかが空くし」といって隠れて甘いものを食べていた。

練習5：帰納分析してCさんの一般的な問題（傾向）を読み取りなさい。Cさんの傾向を読み取り、教育指導の計画を立案する。

Cさんは……

練習6：演繹分析してCさんの特殊（個別）な問題を読み取り（推測）なさい。今後予想される障害を挙げて検査する。障害の予防に努める。

Cさんは……

例：Eさんは看護学生である。Eさんは遅刻するし、欠席もある。レポートは提出期日までに出すことは少ない。レポートに誤字が目立つ。辞典を開くことはほとんどない。授業中は寝ていることが多く、集中して聞くことが少ない。

練習7：帰納分析してEさんの一般的な傾向を読み取りなさい。

Eさんは……

練習8：演繹分析してEさんの特殊な問題を推測して読み取りなさい。

Eさんは……

例：Fさんは看護学生である。Fさんは遅刻も欠席も少ない。レポートは提出期日までには必ず出している。辞典を開いて確かめているし誤字は少ない。授業中は集中して積極的に参加している。

練習9：帰納分析してFさんの一般的な傾向を読み取りなさい。

Fさんは……

練習10：演繹分析してFさんの特殊な傾向を推測して読み取り

なさい。

Ｆさんは……

(4) 総合分析による意味の読み取り

患者の話を聞きながら、本心は何を求めているかを表情や態度、言葉から総合的に分析して読み取る。身体部位のみでなく、表情を含めて全身状態を把握して読み取る。一部の例から全体がそうであると自分勝手な推測をしない。

血液その他の一般的な検査値では正常なのだが、患者の身体では何らかの異常が起こっているということがある。重症筋無力症は発病初期には物が二重に見える複視から始まる。眼科を受診して調べてもらっても「異常はない」と言われる。脳腫瘍を疑われて脳神経科でMRI検査をされる。しかし「異常はない」と診断される。一昔前には「ヒステリー」だとして精神科に回された患者もいた。

物が二重に見える。タオルが絞れない。腕を挙げたらハミガキが辛い。うどんを飲み込むのに失敗する。鼻から出てしまう。これらは重症筋無力症患者の症状の特徴である。特定の抗体の検査、薬物による検査、症状などから総合的に分析して診断する。

意味の理解と解決が困難な問題がある。このような総合分析が必要な問題もまた存在している。問題の意味を読み取るために、多くの情報を集め、そして消去していく。徒労に終わることも多い。これは忍耐と患者に対する温かな眼差しの必要な作業である。

練習課題

1．情報の意味を読み取る際に心がけていたことの分析

［解答例］

練習１　看護師は　　　　　援助した。

練習２　新人看護師は、答え、先輩看護師は　　　言った。

練習３　彼は〈慣習や伝統を重んじて行動するので伝統指向型だ〉と言われる。

練習４　Ａさんのパーキンソン病は進行性の病気である。
　　　　Ｂさんには必修科目の実習がある。

練習５　Ｃさんは自己管理できないという傾向がある。

練習６　Ｃさんは糖尿病性の網膜症（失明）、腎障害、末梢神経障害の可能性がある。

練習７　学力が低い。

練習８　単位を落とす。留年する。退学。

練習９　学力が高い。

練習10　リーダーの素質がある。卒業後も管理者になる。上の学業を修める。

2．批判や質問をして意味を読み取る

我々の周囲には、場面情報、会話情報、文字情報が大量にある。この情報の中には正しくない情報もありうる。この場合には、情報の中から正しくない情報を批判して選別して読み取る必要がある。さらに読み取り方が正しいかどうかを批判して吟味する必要がある。それは、情報の読み取りが、情報の送り手の意図から飛躍した解釈や独断的な理解になることを防ぐためである。

情報を正しく読み取るためには質問に工夫が必要である。質問も技術の一つである。本節では６種類の質問を述べてある。特に、「閉じられた質問」と「開かれた質問」は初対面の患者とのコミュニケーションにおいて重要な技術の一つである。本節のキーワードは、立論・異論・批判・質問である。

飛　躍＝論理が正しい順序・段階を踏まず、先に進む。

独断的＝吟味を経ずに無批判的に何かを真理として主張する。独りぎめ。

1）立論・異論・批判

(1) 立論（理論を組み立てる）

情報の送り手は本論を組み立てる（立論）。この場合、演繹(えんえき)法と帰納法のどちらかで展開する。報告文などは演繹法で結論から書き始める。すると、情報の受け手は内容を理解しやすい。そしてその理由と、実例を加える。これに対して、患者への病気の告知や後輩への行動の改善指導では帰納法で細かないきさつから始める。理由を述べ、最後に結論を伝える。これは情報の受け手に否定的なことや指摘など良くない内容を伝える場合に、その内容を受け入れやすいように心の備えを促すための配慮である。

(2) 異論

立論に対して、全く異なった主張が異論である。独断を防ぐために、情報の送り手は立論の中で第三者の視点（批判意見）を組み入れてある。しかし立論を述べるということは他者とは違う主張をしていることを意味する。だから独り善がりの可能性が残る。立論そのものが異論の可能性がある。立論も異論も建設的である。

大勢で学校行事に何をするかを議論する場合は、提案Ａに対して提案Ｂは異論である。提案Ｃ、提案Ｄと多くの異論を対比して妥当性を議論して多数決で決める。この場合の異論は建設的であると読み取る。

(3) 批判

①情報に対する批判

価値・能力・正当性・妥当性などの評価を批評と言う。この場合、特に否定的内容を批判と言う。本論そのものに対する主張は異論である。批判は、本論の理由や根拠となる実例に対する指摘である。異論と批判は区別する。情報の受け手は、本論の理由と実例に対して不備がないか批判的に読み取る。批判の矛先は本論の理由や根拠となる実例である。批判は本論に対する肯定的評価をした上で、その根拠の不備などを指摘する配慮が必要である。

我々は他者の欠点に目が行きやすいものである。だから、批判する場合には配慮が必要である。こうした配慮があれば、情報の送り手は「参考になりました」と受け入れることができる。

批判には中傷的批判と建設的批判がある。中傷的批判とは無実のことを言って他人の名誉を傷つけるような批判である。本稿では中傷的批判の立場はとらない。建設的批判とは、立論に対してその根拠の不備や不足を指摘して、立論の改善を意図するものである。

②読み取り方への批判

情報の読み取り方は二つに分かれる。一つはその情報が「間違いのないもの」として受け入れる読み取り方である。もう一つはその情報が「間違いの可能性が含まれている」として受け入れる読み取り方である。この二つには欠点がある。読み取り方への批判はこの両方に対してなされる。どちらの立場を選択してもその欠点を克服する必要がある。

ア．間違いのないものとして読み取る

これは伝統思考型である。この姿勢の利点は争わず平和を保つところにある。しかし間違いが改善しないという欠点がある。例１：教科書Ａを使った授業があった。この中に明らかに間違った説明があったが黙認した。この教科書はいつまでも改善しなかった。例２：受け持ちの患者が「抑制」されていた。これは看護倫理の範囲を超えていた。しかし看護師たちは同僚にも先輩にも上司にも何も言わなかった。その病棟は平和であった。この病棟で提供する看護レベルはいつまでも改善しなかった。

イ．間違いの可能性が含まれているとして読み取るこれは革新思考型である。この姿勢の利点は改善が行なわれるところにある。しかし争いを引き起こす欠点を持っている。授業でいつも誤字を板書する教員がいた。しかし学生はそのつど指摘した。この教員の語彙レベルは徐々に改善した。

「本は踏みつけて読め」という言葉がある。足を出して踏みつけると争いが起こることがある。気を付ける必要がある。しかし、一歩を踏み出すことによって、真実や真理に向かうことができる。

練習1：あなたが情報を読み取る時の傾向は「間違いのないものとして受け取る」と「間違いの可能性がある」と、どちらにあるかを考察しなさい。

2）6種類の質問

情報を読み取るためにはいろいろな質問が必要である。この場合、誘導質問や否定質問を避ける。「～ですよね」「…ではないですよね」と尋ねられたら、本心とは違う答えに同意する人がいる。これらの質問は相手の本心を見失っている。実習の場面で、練習なしに良い質問をすることはできない。日常会話の中で意識して練習して、質問の技術を向上させておく必要がある。これは授業で練習する時間はないので、自己学習で習得する。良い聞き手は良い質問をする。話を聞いたら良い質問をしよう。

(1) 意味を確認する質問

確認質問は、話し手と話題の内容の意味を共有するために行なわれる。「その言葉の意味は……という意味ですね」とか、「今の説明を……と理解しましたが、それでいいですか」と確認する。

(2) 意味を問う質問

文字情報であれば漢字の読み、漢字の意味、カタカナ語の意味などを問う質問が考えられる。読み手であれば辞典を開いて解明する。看護援助の一対一の場面では、意味を問う質問をして誠実に向き合う。質問によって問題を明確にして、解決の参考情報を得る。それは質問者と情報提供者の双方に益となる。

大勢の人がいる講義中に質問するには勇気が要る。「そんなことも知らないのか」と、無知さを知られて恥ずかしい思いをする危険性がある。しかし、同じく知らない人はいるもので、ある質問がほかの人々に益をもたらすことがある。

ところで、「聞いていなかったのですか。さっき、説明したでしょう」と厳しい答えを返された質問者がいる。このようなことを防ぐ方法がある。質問の前に「すみませんが」「確認したいので」「私はこう考えますが」など、前置きの言葉を添えると良いだろう。

(3)　理由や根拠の補足説明を求めた質問

理由や根拠の補足説明を求めた質問は批判的ではあるが建設的である。情報提供者は論述の不足や弱点を知り、本論の根拠を補強することになる。このように情報提供者の益になるような質問を工夫する。また、この質問は聴衆の益にもなる。聴衆は質問者の質問によって理解を深めることになる。質問するということは教えるということでもある。質問にも共に学ぶという学習方法の秘訣が含まれている。

(4)　要約を求める質問

話題提供者は長い話をする。しかし、聞いている人にとって要点はなんだろうとわかりにくいことがある。そこで、聞いた人が「ポイントは何ですか。要約するとどういうことですか」と質問する。すると、質問者にとっても、話題提供者にとっても話の内容を簡潔に整理することになる。双方に益となる。

質問においても聴衆が益となるような配慮が必要である。ここにも他者の視点がある。これらのように、情報を読み取る際の質問の仕方にも工夫がある。

「キーワードを五つ挙げてください」という質問の方法もある。要約は、100字から400字など様々な字数がある。最も簡略な要約はキーワードである。本章のキーワードは、立論・異論・批判・質問である。

(5) 閉じられた質問と開かれた質問

質問には「閉じられた質問」と「開かれた質問」がある。「住所は？」「年齢は？」という閉じられた質問は、聞く人の疑問を解くための「聞く人中心の質問」である。これに対して「どのようにお考えですか」という開かれた質問は、答える人が自分の心の中を振り返るような「答える人中心の質問」である。良い聞き手は良い質問をする。

この二つの質問はどちらが優れているとか劣っているということはない。場面によって、二つの方法を臨機応変に使い分ける。または、二つの方法を同時に使って会話を発展させる。問診票など限られた時間に情報収集が必要な場合は閉じられた質問を、じっくりと会話を深めたい場合には開かれた質問を利用する。

「閉じられた質問」は、質問された人が「はい」や「いいえ」で答えるような質問である。例えば看護師の「食事をしましたか」という質問では、患者は「はい」か「いいえ」しか言いようがない。これでは「会話が閉じられ」てしまい、これ以上発展しない。まるで尋問しているみたいになっている。この時に話題が途切れて「沈黙が怖かった」という体験者がいる。これは自分のことを話す「自己開示」や「開かれた質問」で改善可能である。

一方、「食事は美味しかったですか。お口に合いましたか」という「開かれた質問」では「塩味が薄かったですが、でも健康のためにはいいのでしょうね」と話が発展し展開する。

閉じられた質問：事実の質問（食事・排泄の有無）・理解の質問（例：○

×など多項目選択問題)・過去の質問(どうだったのか。何があったのか)。測定質問(1から10のどのレベルか)。

開かれた質問:応用の質問・分析の質問・仮定の質問・評価の質問・要約の質問(例:1,000字の小論文)。未来の質問・肯定の質問。応用:譬え話で言う。分析(その理由は何か)。仮定(もし……ならば)。評価(どう思うか)。未来(どうなりたいか)。肯定(大変でしたね)。

応用の質問:譬(たと)え話は話題を広げるための応用の質問である。「健康を信号機に譬えるとどういう意味になりますか」「人生を旅に譬えて説明するとどうなりますか」「病気を休憩所に譬えて考えるとどうなりますか」「ストレスを心の中にある花瓶にたまる水に譬えるとどう説明しますか」これは貯まる量も時間も、抜く方法も個人によって異なる。バラの花を生けたら、水を吸い上げてくれ、よい香りを広げてくれる。話題の提供者には思いもしないところに発展することがある。自然界の花鳥風月など、植物や動物、自然現象に結びつけると面白くなる。こんなふうに話がはずんだら開かれた質問の成功である。

分析の質問:「食生活に偏りがないか分析してください」「生活習慣の傾向を分析してください」「性格の傾向を分析してください」「対人関係の傾向を分析してください」「何か心配事がおありですか」。そのためには学生自身が自己分析できている必要がある。

仮定の質問:「もし、一人で外出できたら何がしたいですか」「退院できたら、一番に何がしたいですか」「今、自由にしていいですよと言われたら何をしたいですか」

評価の質問:「あなたは自分の人生をどう評価していますか」「給食をどう評価していますか」「あなた自身の入院生活を評価すると、何点付けられますか」「この病院の職員たちをどう評価しますか」

肯定質問：「大変なご苦労をされてこられたのですね」「楽しい思い出もあったでしょうね」「たくさんの方々に支えられてこられたのですね」

これらの質問は本書を読んだだけでは習得できない。日常生活の中で意識して練習を重ねる。こうして質問の技術を向上させる。

⑹ 非言語コミュニケーションによる質問

言葉を発することができない患者と、握手で会話することは可能である。聞くことができる患者であれば、「わかったら握手してください」と話しかける。「はい」は強く握る、「いいえ」は弱く握るなどにすれば、患者の意思が確認できる。情報の読み取りには言語に頼りすぎない。表情やしぐさなどを観察して読み取る。

練習課題

２．自分の質問の傾向の考察

Memo

芸術には、守・破・離という３段階がある。その前の「型に入らない段階」を邪道と言う。文章作法も同じである。「思ったまま、文字数を埋めるため、読点を無意識、構成を考えず」に書いた文章は邪道の文章である。

文章による創作活動は、華道・茶道・武芸などに似ている。芸や道には型（かた）がある。まず弟子は師匠の型を守る。この時点では型に入っただけなので狭い。次に、芸術は自由だから、得た型を破る。やがて、弟子は独自の型を創造して師匠を離れる。

3．疑問思考によって意味を読み取る

場面情報、会話情報、文字情報の意味を読み取る際に、我々は複数の質問をして、その答えを自己と他者に求める。「これは何か」は未知の解明である。「それはなぜか」は原因の究明である。「どうすれば」は問題解決である。「どれを」は選択決定である。本節のキーワードは、疑問思考、未知の解明、原因の究明、問題解決、選択決定である。

1）疑問思考

(1) 未知の解明（これは何か？）

「これは何か」と疑問を持つことは未知の解明への始まりである。疑問を持ったら、調べる、聞く、仮説を立てて確かめるなどして、その答えを求める。意味を読み取る作業には未知の解明がある。

「これは何か」と疑問を持たなければ未知の解明はあり得ない。例えば、テキストを読んでいて「哆開の兆候はなかった」とあった場合、「“哆開” はどう読むのだろう」と疑問を持たなければ、無知のままである。疑問を持っただけでも無知の状態である。読みがわかっただけの場合でも無知である。その意味を調べて理解して初めて、その意味を読み取ったと言える。これが未知の解明である。

哆開：「しかい」と読む。哆は口をはる、多いの意味。哆開は抜糸後に創が開いた状態。

練習1：「健康」とは何か。この未知を WHO（World Health Organization 世界保健機関）の定義を調べて説明しなさい。WHO は健康を「肉体的、精神的および社会的に完全に良好な状態にあることで、単に疾病または虚弱ではないということではない」と定義している。さらに「健康レベルを享受することは、すべての人間の基本的権利であり、政府

はその国民の健康に対して責任を負う」としている。

(2) 原因の究明（それはなぜか）

「それはなぜか」と疑問を持つことは原因の究明への始まりである。情報の書き手はまず「～～は……である」と書き始める。読み手はここで「なぜ」と考えて先を読む。すると親切な執筆者であれば「その理由は……である」と書き進めてある。さらに「実例は○○である」と付け加えてある。

読者は、書き表された情報を理解した時に、意味を読み取ることができたと言える。疑問思考は書き表された情報だけではなく、質問された情報の読み取り、看護援助場面の意味の読み取りにも応用できる。「それはなぜか」という疑問思考は多くの問題の原因を究明する。「主張（～～は……である）」と「理由」、そして「実例（根拠）」の三つによって情報の意味を読み取る。

練習２：「人々の健康が脅かされるのはなぜか」。喫煙・偏った食生活・運動不足・感染症などから、その理由を述べなさい。

(3) 問題解決（どうすれば）

「どうすれば」と疑問を持つことは問題解決への始まりである。我々は問題解決に迫られている。問題解決には、問題の明確化→目標・計画・実践→問題の改善結果→計画実践有効性の評価という過程（プロセス）があった。このプロセスでは評価が重要な意味をなしている。**診断評価**によって問題を明らかにして目標を設定する。看護援助場面では、「患者は……ができる」「看護師は……援助をする」のように目標を具体的に設定する。すると評価しやすい。実践して**途中評価**を行なって問題の改善度を見ながら目標や実践を修正改善する。やがて結果を明らかにする。それから実践の有効性を**最終評価**する。

有効であった実践は同様の問題解決に役立つ。看護援助技術の熟達はこうした経験の積み重ねによる。「どうすればいいのか」という疑問思考は問題解決熟達へのガイドである。

「どうすればいいのか」という問題解決思考によって情報を読み取る。これは、場面の情報、会話による情報、文字情報の読み取りに応用可能である。

練習3：「健康を保つためにはどうしたらいいか」について、喫煙・偏った食生活・運動不足・感染症などから例を選んで、解決する方法を考察しなさい。

(4) 選択決定（どれを）

情報からの意味の読み取りには、選択肢から条件に合わせた消去と比較によって意味を選択するという読み取りがある。

①条件があって限定されている場合の意味の読み取り

ア．正解が一つの場合（消去して読み取る）

この場合は正解が一つで、多数が不正解である。不正解と考えられるものを消去する。こうして意味を読み取る。これは予備知識が必要である。知識は毎日の学習の積み重ねによって蓄積される。情報の読み取りには知識の蓄積が求められる。

消去法による読み取りには、「正しいのはどれか」「誤りはどれか」の思考を用いる。2009年度の国家試験問題から1例を挙げる。「58　甲状腺機能低下症の身体所見はどれか」「1．眼瞼浮腫　2．眼球突出　3．心悸亢進　4．発汗過多」。

この場合は、不正解に思考を集中する。排除できる根拠を挙げることができれば消去は成功である。正解だけに思考を集中していると正解が判別できなくなる可能性が大きい。

練習4：上の問題で不正解を消去しなさい。消去の理由を挙げて書きなさい。

イ．正解の中からナンバーワンを選ぶ（比較や問題解決の過程を

利用）

この場合は、例示されているものはみな適切である。それらを比較したり、問題解決の過程を利用したりしてナンバーワンを選ぶ。これも読み取りである。「優先されるのはどれか」「優先度が低いものはどれか」と比較して順位を付ける。患者に援助を計画する場合に、まず、複数の援助目標を挙げる。そして優先順位を決める。

2009年度の国家試験問題を紹介する。「86　無為自閉の患者に作業療法が開始された。患者はプログラムに参加するがその場にいるだけという日が続いた。対応で最も適切なのはどれか」「1．作業への参加を患者に何度も促す。2．参加の必要性を再度査定する。3．活動できない理由を患者に聞いてみる。4．患者の自主性が出てくるまで待つ」。これは問題解決の過程を利用して情報の意味を読み取るものである。

練習5：上の問題に答えて、順位番号を付けなさい。

2）展開図による読み取り

看護援助場面情報、口頭説明情報、文字情報の意味の読み取りには、情報構成の展開図を作って意味を読み取る。展開図には、以下のものを参考にする。

時間分析：過去・現在・未来、

要素分析：要素１・要素２・要素３

対比分析：事例１・事例２・事例３

問題解決：問題・目標計画・実践・結果・評価

消去分析：複数列挙・消去・選択

序論・本論・結論

結論・理由１・理由２・理由３

例：①Ｆさんは１カ月前に脳梗塞を発症して入院していた。②現在は病状が落ち着いてリハビリをしている。③2週間後に退院する予定である。

展開図：過去・現在・未来　①－②－③

①Gさんは神経系の病気で入院して、検査を受けている。②重症筋無力症ではないと診断を受けた。③筋ジストロフィーでもなかった。④どうやらギランバレー症候群の可能性が大きい。

展開図：複数列挙・消去・選択

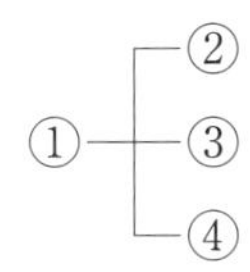

練習6：次の文章の展開図を書きなさい。

①まず、文章構成の全体を把握する。②結論の位置から五つに分ける。③聞き手と読み手からすると、両括型が最もわかりやすい。④初めに結論があって、話が進んでいく。⑤聞き手が結論を忘れた最後に、もう一度結論があるとわかりやすい。⑥頭括型もわかりやすい。⑦尾括型は起承転結で、わかりにくい。⑧中括型はもっとわかりにくい。⑨途中で結論があるのだが、まだ話が続く。⑩何が言いたいのか疑問が湧く。⑪隠括型は何を言いたいのかわからない、謎の文章である。

3）患者に関する情報の読み取り

(1) 患者本人の自覚症状を聞いて確認する

人は自分の健康異常に気付く。看護師は患者が言った言葉を正確に記録する。この場合に「気のせいですよ。大したことないですよ」などの否定する言葉は、問題を見逃す危険性があるので避ける。「“……”と思っているのですね」と聞いて確認する。

(2) 看護師が見る患者の外観の印象（おや、いつもと違う。何か変）

患者の表情、視線、動き、全身の雰囲気などについての印象を意識して捉える。「何か変」という印象を言葉と文字に翻訳する。呼吸、臭い、熱などの異常を五感（視覚・聴覚・嗅覚・触覚・味覚）と第六感を使って、読み取る。

(3) バイタルサイン Vital signs（生命徴候。s が付く。複数扱い）

呼吸、脈拍、血圧、体温をバイタルサインと言う。これに意識を加える場合がある。安静時の1分間の呼吸数は12～20回、脈拍は60～80回である。安静時の収縮期血圧は110～130mmHg、拡張期血圧は60～90mmHgである。人の体温は外界温度や身体部位によって異なる。安静時の体温は36～37度である。ただしこれらには子どもと大人の年齢差と個人差がある。ある患者個人のいつもと異なるサインの意味を読み解く。

(4) 体重・身長・腹囲

体格指数 Body Mass Index（BMI）は体重（kg）÷身長（m）^{2}で表す。計算機では体重を身長で2回割ると良い。例えば、体重56kg、身長163cmの人のBMIは、「56÷1.63÷1.63＝」で計算できる。18.5未満は痩せ、25以上は肥満と判断される。標準体重（kg）は身長（m）^{2}×22で算出する。痩せと肥満、腹囲の異常を読み取る。

(5) 血液・その他の検査値

各種の検査項目がある。平均値を外れた場合に何を意味するか異常を読み取る能力が求められる。

(6) 患者の言葉にならない思い

言語コミュニケーションの困難な患者、返答を一言で返す患者、否定的な言葉を返す患者、援助を拒否する患者、長期臥床で意欲が低下した患者、離床を嫌う高齢患者、手術後に口を閉ざした患者、夕方になると無表情で返事をしなくなるパーキンソン病患者、ナースステーションで食事介助を受ける暗い表情の脳梗塞の患者などがいる。

これらの患者は、言葉以外の方法によってコミュニケーションが取れる。感情の機能が働いている人なら、快・不快の意思表示の可能性を探る。握手でも意味が読み取れる可能性がある。非言語によって、患者の言葉にならない思いを読み取る。

練習課題

3．疑問思考をどのように働かせているか

［解答例］
練習１ 「看護学大辞典」に定義があるので参考にする。
練習２、練習３ 自分の体験や、身の回りの人の例を出す。
練習４ 「１．眼瞼浮腫」
練習５ 「３．活動できない理由を聞いてみる」 ３ ２ １ ４
練習６

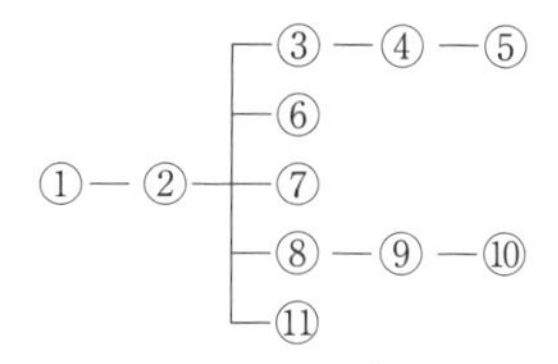

学生のレポートより“両方の学びができた”

場面・会話・文字から情報を得て書き表す作業は、情報から意味を読み取る作業と同じ考え方をするものだった。この授業を受けて文章を書く練習をしてきたら、意味を読み取る練習もしてきたんだと気付いた。両方の学びができて得をした気分になった。看護では患者さんから情報の意味を読み取って文章に表すから、意味を読み取ることは大切な技術の一つだった。

付録　論文の例

「させられ学習」から「する学習」へ変化させ4,800字の論文を書く方法の研究
――文章への苦手意識を克服するための長期・短期目標を実践して――

K学生

はじめに

この論文では、筆者の文章への苦手意識を克服する方法と、4,800字の論文を書く学習方法を研究し、その有効性について述べる。筆者は小さな頃から、文章を書くことも読むことも苦手であり、嫌悪感すらあった。さらに、これまで800字以上の文章を書いたことがなかった。筆者は1回目の講義で、長期目標を「文章の苦手意識を克服する」「4,800字の論文を書く」とした。そして、短期目標を「講師の話を傾聴する」「予習・復習をする」「教科書を音読する」とした。教科書に沿ってレポートを書く練習を実践した。すると「させられ学習」だった筆者の学習方法が講義の終盤には「する学習」へと変わった。これまで悩んできた文章の苦手意識は消失して、文章の構成力や読解力が以前よりもはるかに向上した。予習・復習、教科書の音読、レポートを書くという「する学習」は文章苦手意識の克服と文章力を向上させる学習方法として役立つと言える。

1．問題

筆者は、小学生の頃から文章を書くことも読むことも苦手だった。筆者が書いた作文を同級生に馬鹿にされた経験がトラウマとなった。筆者は、その当時の担任に、指導をしてほしいと頼んだ。だが、「学力が低く、教えても上達することはない」と言われた。それにより、筆者は文章を書くことに対し嫌悪感を抱くようになった。高校で小論文の書き方の授業があったが、先生に言われたことに従うのみで、主体的に学ぶことはなかった。そのため、文章嫌いが改善されることはなかった。その後、就職試験で小論文がない所を探した。希望通りの就職先があっても、試験に小論文があれば諦めた。文章を書くことから逃げ続けた。そして、この講義を受けるまでは、文章の苦

手意識は一生克服することはできないだろうと考えていた。

Ⅱ．問題解決の実際

1．目標（仮説）

筆者は長期目標を「文章への苦手意識の克服」「5000字の論文を書くこと」とした。これは、文章への苦手意識が一生克服できないと考えていた筆者にとって、達成することなど想像できないほど高い目標だった。譬えるなら、登山未経験者がいきなりエベレスト登頂に挑戦するほどの高い目標だった。そして、その長期目標に向けて短期目標を３つ作った。「講師の話を傾聴する」「予習・復習をする」「教科書を音読する」と簡単に行えるものを設定した。譬えるなら、エベレスト登頂を目指すトレーニングのようなものである。

2．実践

講義は講師の執筆した教科書に沿って行われた。１回目の講義では「三分節で書く」「常体文で書く」「一つの文を40字以内で書く」[1]など、文章の基本を学んだ。書き方は学んだが、文章を書くことへの嫌悪感は依然として変わらなかった。講義が残り40分になったところで「文章を書くことへの思い（過去・現在・未来）」という練習課題が出された。筆者は、予習をしていなかったため、授業時間内に「前書き」さえも書きあげることができなかった。授業中に間に合わなかったため、自宅で書いたが３時間もかかった。翌日提出したレポートは不合格、再提出であった。返却されたレポートは、添削されており、どこが悪いか詳しく書いてあった。添削の内容は、「前書きの部分を肯定文で書く」というものであった。この添削を読み、なぜ肯定文で書かなければならないのかと疑問に感じ、教科書を全て読むことにした。これは、文章嫌いの筆者にとって初めて主体的に学習しようと感じた瞬間だった。教科書を読み進めると、11章に「書き始めと結びには肯定文を書く。ここに否定文があると、読み手は何が始まりなのか何が結びなのかに戸惑う」[2]と書いてあった。その意味を理解し、再提出の課題をもう一度書いた。理解したうえで書くと、文章がわかりやすくなっていることに気付いた。筆者は今まで、何も考えることなく文章を書いていた。そのため、書き初め、結びに否定文や疑問文があり、読み手に分かりづらい文章を書いていたのだった。

１回目の講義の反省点は、予習せず講義を受けたことにあると考え、２回目の講義から予習をして、課題の下書きを持参した。２回目の講義では「私の問題解決の態度の考察」というレポートを書いた。そのレポートは、自分が自律型であるのか他律型であるのかを自己分析し考察するものであった。それにより、主体性に乏しいことが改めてわかった。筆者は、今まで言われた通りにしか学習してこなかった。宿題以外の勉強をすることはなく、学校の先生に覚えろと言われてから覚えるなど「させられ学習」をしてきた。このレポートを書くことによって、「させられ学習」ではなく「する学習」をしなければ成長しないことに気がついた。それからは、自主的に教科書を何度も読んだ。

３回目の講義で「読点の打ち方—私の場合—」というレポートを書いた。このレポートを書くまでは、読点のことなど考えたことがなかった。だが、講師は「読点を理解して使うことは、読み手に対する責任を果たすことである」と言った。それを聞いて、今まで筆者は読み手のことを考えず読点を打っていたことに気付いた。そこで、身近な人とのメールでも文章の読点を意識するようにした。初めは、あまり変わらないのではないかと思っていたが、読点を意識し文章を打つようになってからは、「それはどういう意味か」と疑問文で返ってくることが少なくなった。読み手が理解しやすいように書くことにより、メールのやり取りの時間が短縮した。

５回目の「私の看護観」が課題のレポートでは、自分の看護観が誰の看護観と共通していているかを述べることにより持論を補強することができると指導を受けた。文章を読むことも苦手な筆者はナイチンゲールの書籍でさえ読んだことがなかった。筆者には読解力がなく、本を読んでいても内容が理解できず、理解できない部分を主体的に学ぶ姿勢もなかったため、本を読むことが本当に苦痛だった。このレポートのためにナイチンゲールの『看護覚え書』を読んだ。すると、今まで感じていた、内容が理解できないという苦痛が軽減した。わからないことを調べるようにしてから、学ぶ姿勢が少しずつ変化してきた。それに伴い、文章に対する理解力は少しずつ上がってきたと感じた。

6回目の「文章を書く思いの変化（途中評価）」の課題レポートを書く頃には、自分の気持ちが変化したことに気付いた。講師の添削により、自分の欠点を明確にし、なぜ駄目だったのかを復習して理解したことにより、着実に以前よりも文章力が上がってきたと感じて自信がついてきた。

講義が半分程度進んだ頃、復習を終えた時に、講義中に講師の話を聞いてからアンダーラインを引いていることに気付いた。これでは「する学習」を行えていないと感じ、予習として音読をしている時に重要だと感じた個所にアンダーラインを引くようにした。そして、講義中に講師が重要だと言った個所と照らし合わせ、筆者が予習の際に理解ができているのかを確認した。最初のうちは全然違うこともあったが、講義を重ねていくごとに、筆者が重要だと思う個所と講師が重要と思う個所が一致することが多くなり、このことも文章の読解力が向上したという自信になった。

予習のやり方を変更しただけでなく、復習のやり方も変更することにした。今までは、テキストを読み返すだけであったが、講師の話を傾聴しながら教科書の端に書き込んでいた内容も読むようにした。その後、講師が重要だという箇所を理解するため何度も読み返し、理解ができると今度は重要な箇所を書き写した。これは、五感を使って学習するためである。音読することで、目と耳を使い、書き写すことで触覚を使った。そして、日常の学習態度も見直すことにした。

筆者はスマートフォンを１日トータルで４時間以上使用していた。講師の話によるとスマートフォンは学力の低下を助長するという。配布資料には、スマートフォンを３時間以上使用する者が３時間以上家庭学習を行ってもその学習や効果が消失し、スマートフォンの使用が少ない者の30分未満の家庭学習程度しか学力向上が認められないと書いてあった[3)]。それにより筆者はスマートフォンの使用を控えた。すると自然と睡眠時間が増えた。睡眠は記憶することと関係している。記憶には短期記憶と長期記憶があり、睡眠時に短期記憶（当日学習したこと）を何度も再生し長期記憶に保存している。睡眠をとり、短期記憶から長期記憶に保存をすることで知識になる。そのため、筆者がスマートフォンの使用を控えたことにより、睡眠時間が増え、記憶の質が高まり、以前より記憶力が向上した。

講義も終盤に差し掛かり、13回目に「書くことに対する意識の変化の考察」という課題のレポートを書いた。講義を受け始めた時から、中盤ではどのように変化したかを客観的に振り返った。当初も中盤も、問題点は文章を書くことも読むことも苦手だということだった。しかし、講義が進んで行くうちに変化してきて、このレポートを書く頃には文章を書くことが楽しくなっていた。小さな目標を達成していくうちに、筆者の考え方が変わってきて、ついには文章の苦手意識を克服することができた。

３．結果

講義が進んでいく中で、短期目標を実践していくうちに、変化が現れた。この講義を受け始めた頃には「させられ学習」だった筆者の学習方法が講義の終盤には「する学習」へと変わった。与えられた課題のみ行い、予習復習もせず、主体的に学習をしてこなかった筆者には大きな変化だった。今まで悩んでいた文章の構成力や読解力は、以前よりも向上していた。講師が講義中に配布したプリントに記載されていた、「スマートフォンの長時間使用による学力低下」や「脳の発達と学習」を読み、日常生活・家庭学習のありかたを見直した結果、以前よりも学力が向上していることがわかった。

Ⅲ．考察

筆者は小学生の頃から、文章を書くことも読むことも苦手だった。文章への苦手意識を克服するため、当時の担任に指導をお願いしたが、筆者の学力が低く「教えても無駄だ」という返答であった。それがトラウマとなり、主体的に学ぶことをしなくなった。そのため必然的に読解力も低下した。就職活動も、小論文の試験を受けたくないがために希望する職種にエントリーすることができなかった。だが、この講義を受けることで筆者は大きく変化した。講師が決めた目標が筆者に与えられるのではなく、自分で決めることにより主体性が生まれた。クラスメートも目標を達成できる人とできない人との差が大きく開くことなく挫折する者もいなかったようだ。講師の添削を参考にしてやり直すことで自分のだめな所が明確になり自己学習をするようになったことも、主体性につながったと言える。短期目標を実践していくことで、できなかったことができるようになり、そして、それが自信になり、ついに、文章への苦手意識を克服できた。

Ⅳ. 結論

長期目標・短期目標の実践は、主体性がなく学ぶことをしなかった筆者に大きな変化をもたらした。今まで「させられ学習」しかしてこなかった筆者の学習方法を「する学習」へと変えた。それにより、文章への苦手意識を克服し、その結果、4,800字の論文を書くことが可能となった。よって、問題解決のために取り組んだ学習方法は、文章への苦手意識の克服と4,800字の論文を書くための学習方法として有効であったと言える。

おわりに

長期目標・短期目標の実践はこの講義に限らず、どの場面でも有効であると推測できる。筆者は看護師資格を取るため日々勉学に励んでいるが、この学習方法はどの講義にも有効なので目標達成のため他の講義でも実践していこうと考える。

謝辞

「学力が低いから、あなたに教えても無駄」と言われた言葉は時が経とうと忘れることはありませんでした。そのため、自分は何をしても無駄で、誰が教えても文章を書けるようになることは難しいと思っていました。しかし、この講義を受け、考えが変わりました。長年のトラウマから助けていただいた講師に深く感謝いたします。

引用文献

1）髙谷修『看護学生のためのレポート・論文の書き方』金芳堂　2018 p.1
2）前掲書　p.123
3）「配布資料」

参考・引用文献

p.2　1）『現代文の書き方』扇谷正造 講談社現代新書 1965 p.19

p.8　2）『児童の世紀』エレン・ケイ 冨山房 小野寺訳 1979 p.141

p.9　3）『文章表現の工夫』佐久間まゆみ 文化庁 1998 p.63

p.16　4）『京都新聞』「窓」1996.11.25 高谷修投稿記事

p.29　5）『日本語とテンの打ち方』岡崎洋三 晩聲社 1988

p.31　6）文部省編『文部省刊行物 表記の基準』「付録」1950（これは、『句読点、記号・符号活用辞典』小学館 2007 に付録として添付されていた）

p.31　7）『記者ハンドブック』新聞用字用語集 共同通信社 2011 pp.123,124

p.40　8）『看護教育』8 月号 医学書院 2007 p.657

p.41　9）『全人教育』玉川大学出版部 白石克己「通信学習序説」記事 1980

p.47　10）前掲書

p.54　11）『実践に生かす看護理論 19』城ヶ端初子監修 医学芸術社 2005

p.59　12）『西洋の教育思想』7「白鳥の歌」ペスタロッチ 玉川大学出版部 1989

p.67　13）『看護研究お手本になる本』西田晃 日総研出版 1995 p.51

p.74　14）『教育原理第一部Ⅲ・Ⅳ』鯵坂二夫 玉川大学通信教育部 1978 p.251

p.88　15）『実践に生かす看護理論 19』城ヶ端初子監修 医学芸術社 2005 p.31 p.90 p.320 p.362

p.90　16）『日本語の特質』金田一春彦 日本放送協会 1999

p.90　17）『森有禮全集』第 3 巻 宣文堂書店 1972 p.94

p.90　18）筆者は服部四郎の著作を調べたが、この説明は見当たらなかった。

p.91　19）『道徳形而上学言論』インマヌエル・カント 岩波文庫 2001 p.104

p.91　20）『純粋理性批判』インマヌエル・カント 岩波文庫 2001 下 p.108

p.92　21）『It（それ）と呼ばれた子』ディブ・ペルザー ソニーマガジンズ 2003

p.95　22）『「甘え」の構造』土居健郎 弘文堂 1981

p.95　23）“The Story of Language”（言葉の話）を調べたが見当たらなかった。
『日本語の特質』金田一春彦 日本放送協会 1999 p.63 に引用

p.96　24）『音声の研究』大西雅雄。『日本語の特質』金田一春彦 日本放送協会出版会 1999 p.63

p.100　25）『言語学概論』。新村出全集を調べたが見当たらなかった。

p.106　26）『記者ハンドブック』―新聞用字用語集― 共同通信社 2011 p.563

p.107　27）『記者ハンドブック』―新聞用字用語集― 共同通信社 2011 p.602

p.112　28）『国語の基本練習』小学３年 林進治 教学研究社 1982

p.113　29）『美的教育』西洋の教育思想９ フリードリッヒ・フォン・シラー
浜田正秀訳 玉川大学出版部 1982 pp.25-27

p.115　30）『透明なる自己』S.M. ジュラード 誠信書房 1987

p.115　31）『看護覚え書』F. ナイチンゲール 現代社 2009 p.227

p.116　32）『教育原理第一部Ⅰ・Ⅱ』鯵坂二夫 玉川大学通信教育部 1981
pp.13-19

p.119　33）『宗教哲学』波多野精一 岩波書店 1939 pp.210-212

p.119　34）『愛の成り立ち』H・F ハーロウ ミネルヴァ書房 1978

p.120　35）『聖書』日本聖書協会 2011「新約聖書」p.167 ヨハネ 15：13

p.132　36）『官報』独立行政法人 国立印刷局 2010.11.30

p.134　37）『難字・異体字辞典』図書刊行会 1987

p.136　38）『官報』大蔵省印刷局 1981.10.1

p.143　39）『官報』独立行政法人 国立印刷局 2010.11.30

p.145　40）『官報』大蔵省印刷局 1981.7.1　号外

p.153　41）『官報』大蔵省印刷局 1986.7.1

p.158　42）『官報』大蔵省印刷局 1986.7.1

おわりに

筆者は1998年から「レポート・論文の書き方」の講義の半分の時間に学生がレポートを書く授業を実践してきた。レポートは添削して翌週に返却した。筆者の調査によれば、学生の文章苦手意識は2003年90%、2008年93%、2013年96%、2018年99%と増加した。これは、ケータイ・スマホの普及と比例していた。

東北大学の川島隆太教授らの2013年の中学生24,000人を対象にした調査は、スマホを１日に１時間以上使用すると**学力が低下する**ことを明らかにした（『週刊文春』（文藝春秋 2014.6.12 pp.135-137））。『デジタル・デメンチア―子どもの思考力を奪うデジタル認知障害』（M・シュピッツアー 講談社 2014 p.8）によると「韓国の若者達の間に記憶障害、注意障害、集中力障害、感情の皮相化、及び、感情の鈍麻が広がっている」。厚生労働省の2017年中高生64,000人調査によると、約４割がインターネット依存症だった。学生の５割は**学力低下を体験していた**。フランスは2018年９月から小中学校で子ども達の**携帯電話の使用を禁じる法律**を施行した。世界保健機関WHOは2022年「国際疾病分類」に「**ゲーム障害**」を依存症の一つとして加えた。

筆者の2016年講義では１章の課題の「大きい目標と小さい目標」設定で不合格となる学生が40人中24人（60%）にまで増えた。筆者は15回の講義が終わる頃に到達する目標を求めたが、学生達は「良い看護記録が書ける。看護師になる」と大きすぎる目標を書いた。「大きい目標」には期限があることを認識できないのだ。１章の課題には説明文がある。スマートフォンやデジタル機器の長時間使用によって、脳が学習困難になっているので、学生達は読解力が乏しくてわからないのだ。

脳研究者の黒川伊保子（『京都新聞』2011.8.22）によれば「早寝・早起き・朝ご飯・運動・読書」の５つが幸せ脳を作り、４つのホルモンを分泌する。良質の睡眠を作るメラトニンは、睡眠中に海馬の短期記憶をその他の脳に長期記憶として保存する働きをする。早起きで網膜が朝日を浴びて作られるセロトニンは、抗鬱薬とも言える心の穏やかさを生み出す。朝ご飯は意欲や好奇心の源となるドーパミンを生み出し、静かな集中力を持続させるノルアドレナリンの分泌を促す。

２章以降、ほとんどの学生が１回で合格レポートを書き始める。それは、不合格で放置すると最終評価点から１回あたり６点ずつ減点されるので、不合格になることへの危機感を抱いて事前学習（テキスト内容を理解できるまで何度も読み、レポートの下書き）をするからである。筆者は、１日に１時間以上スマホを使わないこと、事前学習と事後学習（返却レポートを読み返す）をすること、辞典・電子辞書を使ってレポートを書くよう指導している。

これはデジタル学習障害の改善に効果がある。４回目が過ぎた頃に学生達はペンが進むようになる。筆者は 1948 年生まれだが、それでも、論文という**山に登る**人のガイド役をしている。40 人のレポートを添削するためには、１回目は５時間かかることがある。２回目以降は合格レポートが多いので１、２時間程度で済むようになる。ここに文章指導の希望がある。今回の改訂で 4,800 字論文の掲載を快く承諾していただいた学生に感謝しています。

著者

索　引

（——，は上記の単語を表す）

た行

な行

は行

ま行

や行

ら行

著者紹介　髙谷　修（たかや　おさむ）

1948年　北海道瀬棚郡北桧山町字赤禿で生まれる。5歳で重症筋無力症発症
2010年　佛教大学大学院教育学研究科生涯教育専攻修了　修士（教育学）
2009年　大和高田市立看護専門学校講師
主な著書　『看護学生のための教育学』『看護学生のための倫理学』『看護師に役立つレポート・論文の書き方』『看護学生のための自己学習ガイドブック』『ジョハリの窓理論 看護グループワークは楽しい、おもしろい』。いずれも金芳堂刊

看護学生のためのレポート・論文の書き方
―正しく学ぼう「書く基本」「文章の組み立て」―

2001 年 9 月 1 日　第 1 版第 1 刷
2003 年 4月 5 日　第 1 版第 3 刷
2004 年 2 月 1 日　第 2 版第 1 刷
2005 年 4月 1 日　第 2 版第 3 刷
2006 年 3 月 1 日　第 3 版第 1 刷
2008 年 4月10日　第 3 版第 4 刷
2009 年 3 月 1 日　第 4 版第 1 刷
2012 年 3月 5 日　第 4 版第 6 刷
2013 年 3 月 1 日　第 5 版第 1 刷
2016 年 3月10日　第 5 版第 4 刷
2017 年 1 月 5 日　第 6 版第 1 刷
2022 年 3月15日　第 6 版第 4 刷
2022 年12月20日　第 7 版第 1 刷 ©

著　　者　髙谷　修
発 行 者　宇山閑文
発 行 所　株式会社金芳堂
〒 606-8425 京都市左京区鹿ヶ谷西寺ノ前町34番地
振替　01030-1-15605　電話　075-751-1111（代表）
https://www.kinpodo-pub.co.jp/
組　　版　株式会社データボックス
印刷・製本　モリモト印刷株式会社

落丁・乱丁本は直接小社へお送りください．お取り替え致します．

Printed in Japan
ISBN978-4-7653-1930-0